enigmae.com

**Le secret de
l'anesthésiste**

enigmae.com

Le secret de l'anesthésiste

Anne Bernard-Lenoir

la courte échelle

Les éditions de la courte échelle inc.
5243, boul. Saint-Laurent
Montréal (Québec) H2T 1S4
www.courteechelle.com

Révision : Sophie Sainte-Marie

Conception graphique :
L'atelier Lineski

Dépôt légal, 3ᵉ trimestre 2010
Bibliothèque nationale du Québec

La courte échelle reconnaît l'aide financière du gouvernement du Canada par l'entremise du Fonds du livre du Canada pour ses activités d'édition. La courte échelle est aussi inscrite au programme de subvention globale du Conseil des Arts du Canada et reçoit l'appui du gouvernement du Québec par l'intermédiaire de la SODEC.

La courte échelle bénéficie également du Programme de crédit d'impôt pour l'édition de livres – Gestion SODEC – du gouvernement du Québec.

Catalogage avant publication de Bibliothèque et Archives nationales du Québec et Bibliothèque et Archives Canada

Bernard-Lenoir, Anne

     Enigmae.com

     Sommaire : t. 1. Le secret de l'anesthésiste.
     Pour les jeunes de 10 ans et plus.

     ISBN 978-2-89651-347-5 (v. 1)

     I. Titre. II. Titre : Le secret de l'anesthésiste.

PS8603.E72E54 2010   jC843'.6   C2010-940600-1
PS9603.E72E54 2010

Imprimé au Canada

ANNE BERNARD-LENOIR

Née en France, Anne Bernard-Lenoir vit au Québec depuis 1989. Diplômée en géographie, elle obtient en 1991 une maîtrise en urbanisme de l'Université de Montréal. En plus d'être titulaire de plusieurs bourses d'excellence, elle est diplômée en musique et a composé plusieurs chansons. Le secret de l'anesthésiste *est son premier titre à la courte échelle. Elle a publié la série* Les aventures de Laura Berger *aux Éditions Hurtubise HMH. Elle se passionne pour les voyages, et ses créations s'inspirent de ses parcours géographiques, de la nature, de l'histoire, des sciences, du mystère et de l'aventure.*

L'hérédité est comme une diligence dans laquelle tous nos ancêtres voyageraient. De temps en temps, l'un d'eux met la tête à la portière et vient nous causer toutes sortes d'ennuis.

OLIVER WENDELL HOLMES (1809-1894)

Il ouvrit avec soin la petite porte de bois, qui grinça comme un vieux chat. Il la referma derrière lui et avança dans l'obscurité, ses pas glissant sur la pierre polie des dalles. Il prit les longues allumettes posées près des bougies et enflamma maladroitement leurs bouts noircis. Une lumière diffuse et vacillante envahit aussitôt l'espace, créant une sensation de chaleur malgré le froid glacial qui régnait dans ces lieux.

Il s'agenouilla en tremblant de tout son être. Puis il ferma les paupières et bredouilla quelques mots.

— Ho... honore l'Éternel de ton bien, et tes greniers seront remplis d'abondance. Sois prompt à écouter, lent à parler et à te mettre en colère. Visite les orphelins et les veuves, et préserve-toi de la souillure du monde.

Que signifiaient ces phrases qui surgissaient de sa mémoire ? Alors qu'il prononçait ces mots, ses yeux s'étaient emplis d'une eau lourde.

— Toi qui apaises l'émotion d'un peuple violent, reprit-il entre deux sanglots, donne...

Un vacarme effrayant interrompit ses prières. Quelqu'un hurlait son nom en frappant furieusement à la porte.

Il regarda une dernière fois les flammes trembloter dans la noirceur. Une angoisse nouvelle lui noua l'estomac. Au plus profond de son être, il savait exactement ce qui allait se produire.

Son heure était venue, et plus rien ne serait jamais comme avant.

1 . . . . LA VOISINE

Tout avait commencé un samedi de septembre, alors que les érables déployaient leur feuillage doré au-dessus des trottoirs et que la voisine d'en face avait eu l'idée de traverser la rue pour sonner à leur porte.

Cette journée-là n'était pas ordinaire. En matinée, Léo et Félix Valois avaient mis en ligne ENIGMAE, leur site Internet consacré aux énigmes, aux scandales et aux découvertes insolites du monde de la science et de l'histoire. Ce projet, auquel ils avaient consacré plusieurs mois, venait de franchir le dernier obstacle. Félix Valois avait treize ans. D'un an son cadet, Léo nourrissait la même passion que lui pour les choses étranges et mystérieuses issues de l'histoire et des domaines scientifiques. Le projet ENIGMAE était né de leur enthousiasme commun et de leur immense curiosité. Félix et Léo avaient reçu l'aide technique de leur grand-père Max, directeur d'une petite entreprise d'informatique, et de David, leur professeur de sciences, qui avait encouragé leur initiative.

Grâce à leur site, qui proposait notamment des comptes rendus, Félix et Léo pourraient converser avec des gens de partout sur la planète à propos des sujets qui les passionnaient, tels que la découverte du *Gigantopithecus blackii*, ce singe monstrueux de plus de trois mètres de haut, herbivore et grand consommateur de bambou, qui avait vécu en Asie plus de cent mille ans auparavant... Il y avait aussi l'affaire étonnante de l'homme de Piltdown, l'un des scandales les plus importants du monde de la science, alors que des individus malfaisants et avides de gloire avaient construit un faux squelette à partir de fossiles épars pour faire croire à une découverte extraordinaire. En lisant le compte rendu présenté sur ENIGMAE, on apprenait que cette supercherie avait berné de nombreux chercheurs des années durant...

Félix et Léo naviguaient de longues heures dans Internet dans l'espoir de dénicher une trouvaille étonnante ou une affaire scandaleuse à mentionner sur leur site. De fait, ils accumulaient une importante documentation : schémas, articles de recherche, dictionnaires, images, vieilles encyclopédies et textes de toutes sortes. Leur grand-mère Diane avait conclu un pacte avec eux : ils disposaient de l'espace du sous-sol de la maison tant que leurs chambres demeuraient assez propres. Cela signifiait qu'un être vivant devait être capable d'y pénétrer sans échasse ni masque à gaz. Le pacte n'était pas toujours respecté, mais Diane se montrait chaque fois d'une indulgence infinie... Les deux frères habitaient avec leurs grands-parents dans cette maison du quartier Limoilou, dans la basse-ville de Québec, depuis la mort tragique de leurs parents survenue à la suite d'un accident de voiture, cinq ans auparavant.

Lorsqu'elle descendit, cet après-midi-là, Diane ne fut pas surprise de constater le fouillis qui régnait au sous-sol. Dans la jeune soixantaine, grande, plutôt ronde, elle ressemblait à une poupée de porcelaine avec sa peau blanche, ses yeux bleus maquillés et ses cheveux blonds savamment ébouriffés en chignon. Cette enseignante à la retraite affichait une humeur toujours gaie et un sourire radieux.

— Emmy Vanier désire vous parler, les garçons, annonça-t-elle avec entrain alors que ses petits-fils fixaient l'écran de leur ordinateur comme des chats, un aquarium. Elle est dans le salon. Je lui demande de descendre ?

— La voisine d'en face ? s'étonna Léo, ahuri.

— Oui ; c'est à propos de votre site Internet.

— Déjà ? lança Félix, incrédule. C'est impossible, on l'a mis en ligne aujourd'hui et personne ne sait qu'il existe.

— Alors, qu'est-ce que je lui réponds ? s'impatienta Diane.

— Quand je pense qu'on travaille comme des débiles sur ENIGMAE pour clavarder avec des gens du monde entier et que c'est la voisine qui s'amène, ronchonna Félix.

Il jeta un coup d'œil vers son frère qui s'était replongé dans la contemplation de leur site, puis il remonta ses lunettes rondes sous la frange qui cachait des yeux d'un bleu foncé.

— D'accord, dit-il, elle peut venir, mamie. Merci.

Ce fut au tour d'Emmy Vanier de descendre. Âgée de treize ans, elle fréquentait la même école que les frères Valois, mais ils ne se côtoyaient pratiquement pas. Elle était grande et avait de longs cheveux châtain clair. Ses joues étaient aussi roses et dodues que celles d'un bébé.

— C'est un véritable laboratoire, ici, murmura-t-elle, impressionnée.

Léo salua la jeune fille d'un geste de la main.

— Salut, dit timidement Félix en allant déplacer les vieilles encyclopédies posées sur le canapé. Assieds-toi, si tu veux.

Emmy préféra rester debout et s'adossa à l'un des piliers du sous-sol. Elle serrait un dossier entre ses mains.

— Léo, la semaine dernière, tu m'as dit que vous étiez en train de créer un site Internet, rappela-t-elle en ramenant une mèche de cheveux derrière son oreille.

Félix dévisagea son frère, qui détourna les yeux. Il lui avait caché cette rencontre... Une forte complicité liait les deux garçons mais, pour ce qui était des filles, c'était chacun pour soi. Ils se mêlaient chacun de leurs affaires et ne se taquinaient jamais à ce propos. Était-ce parce que Félix était trop timide, et Léo, très pudique ? Était-ce parce qu'ils s'en fichaient ou qu'ils prenaient la chose trop au sérieux ? Ce qui comptait le plus était cette confiance inébranlable qu'ils avaient l'un envers l'autre.

— Chaque jour, j'ai vérifié si votre site était accessible, déclara Emmy. Comme ça, vous vous intéressez aux énigmes ?

— Oui, fit Félix, un brin impatient.

— C'est justement pour ça que je suis venue. J'en ai une pour vous.

— Super, dit Léo.

— Puisque j'habite en face, j'ai pensé que ce serait stupide de ma part de ne pas venir en personne.

— On s'intéresse à des affaires spéciales, expliqua Félix sur un ton un peu sec. Comme les découvertes scientifiques étranges ou les impostures. Par exemple, celle de la fausse tribu des Philippines[1] ou encore...

— Je sais, coupa Emmy, vexée. J'ai lu ce qui se trouve sur ENIGMAE. C'est pour ça que je suis ici. Si je vous dérange, autant me le d...

— Non, non, la coupa Félix à contrecœur. On t'écoute.

Léo fit rouler son siège d'ordinateur jusqu'au vieux canapé, où Emmy prit enfin place. Félix se leva et vint s'accoter au mur près d'eux. Grand pour son âge et plutôt maigrichon, il portait un jeans trop large et un t-shirt marron sur lequel scintillait une tête couleur or, semblable à un symbole maya. Ses cheveux noirs mi-longs lui donnaient un air rebelle et accentuaient son allure dégingandée. Son frère, lui, était plus sportif et coquet. Il était toujours vêtu de noir, et il avait les cheveux bruns coupés en brosse.

— Si les cadavres ne vous rebutent pas et que l'univers de la médecine vous intéresse, j'ai une histoire pour vous, déclara Emmy en sortant de son dossier une pochette en plastique transparent.

[1] En 1972, un homme découvrit une tribu primitive aux Philippines. Cela fit la une des journaux. Quelques années plus tard, on apprit que cette tribu n'existait pas. Des autochtones avaient joué la comédie.

2 . . . . **DES CADAVRES BIEN ROUGES**

Emmy ouvrit la pochette et en extirpa délicatement des feuilles de papier jauni qu'elle tendit à Félix.

—Attention, c'est très fragile.

Intrigué, Félix prit les feuilles tout en s'asseyant à califourchon sur l'accoudoir du canapé. Il remonta ses petites lunettes rondes sur son nez et examina les documents.

—C'est quoi?

—On dirait du parchemin! lança Léo avec un sifflement admiratif.

—Lisez, leur répondit Emmy sur un ton mystérieux.

Après un instant de silence, Félix commença sa lecture à voix haute. Le premier document était une lettre manuscrite dont l'écriture serrée, fine et élégante paraissait provenir d'une époque lointaine.

QUÉBEC, AVRIL 1832

Cher Théodèle,

Je te remercie pour ta longue lettre et je conviens avec toi que, sans MM. Blanchet et Von Iffland, nous n'aurions aucune institution au Bas-Canada capable de nous enseigner l'anatomie, la chimie et la chirurgie.

Nous vivons une époque formidable, et les progrès de la science sont merveilleux. Que de chemin parcouru depuis ce temps où, tant qu'il était d'un beau jaune crémeux, nos ancêtres guérisseurs ne se préoccupaient pas du pus suppurant des plaies!

Il y a deux jours, j'ai eu le grand privilège d'assister à une opération menée par notre maître chirurgien Villiard. Une femme fort malade présentait une excroissance noirâtre, visqueuse et purulente de la taille d'un poing sur le bout de la langue. Le visage impassible, notre chirurgien, vêtu de sa redingote noire et sinistre, lui a fait ouvrir la bouche pour saisir sa langue avec une pince. Puis, d'un geste prompt, il a sectionné l'organe au-delà de la tumeur. Fixée par des lanières de cuir sur le fauteuil opératoire, la malheureuse a poussé des hurlements de terreur. Villiard a appliqué un fer rouge sur la plaie pour arrêter l'hémorragie. Hélas, l'opération a été un échec. La pauvre est morte dans d'atroces douleurs.

Les hurlements de cette malheureuse ont fait une terrible impression sur l'étudiant que je suis. Il m'est impossible de croire qu'à notre époque de progrès nous ne pouvons pas davantage alléger les souffrances des malades au cours des chirurgies. Je suis décidé : ma mission sera d'expérimenter et de trouver des moyens plus efficaces d'endormir les souffrances au moment des opérations.

Ici, à Québec, point encore de choléra. La ville se prépare à la venue des navires en provenance des îles britanniques, et l'installation d'une station de quarantaine est prévue. Puisse le ciel nous épargner cette affreuse maladie!

Je dois t'instruire du fait que les dissections se poursuivront à l'école jusqu'au mois de mai seulement, car il sera impossible de les continuer pendant les chaleurs de l'été. Les cadavres qui étaient bien rouges à l'intérieur en octobre sont maintenant verts, voire grisâtres. Leur état de décomposition est plus qu'avancé. Les odeurs de putréfaction sont telles dans la salle d'anatomie que j'ai failli m'évanouir pendant le cours de notre maître. Malgré le linge imbibé d'eau de fleur qui recouvrait son nez, notre cher Villiard lui-même a failli vomir, ce qui, tu t'en doutes, n'a pas manqué de faire rire ses étudiants, du moins ceux qui n'étaient pas malades.

Souhaitant que ton aïeule se porte mieux et que tu nous reviennes vite à Québec, je te salue.

FAUBERT D'IMBEAULT

—C'est dégoûtant! s'exclama Léo, le teint livide. *Les cadavres qui étaient bien rouges à l'intérieur en octobre sont maintenant verts*, beurk!

—Il faut se mettre dans le contexte, précisa Emmy. J'ai lu dans notre encyclopédie médicale que c'est à cette époque qu'ont débuté les cours de dissection. Les apprentis chirurgiens n'étudiaient plus seulement le corps humain à partir de dessins ou de planches anatomiques, mais aussi et surtout à partir de vrais cadavres.

Félix semblait épaté:

—Cette lettre a été écrite par un étudiant en chirurgie de Québec, en 1832? C'est un document historique?

—Oui, lui répondit Emmy.

Elle se sentit soulagée par la réaction des deux frères. Si elle avait traversé la rue pour sonner à leur porte, c'était bien parce qu'elle espérait qu'ils se passionneraient pour son affaire...

—C'est quoi, cette histoire de pus d'un beau jaune crémeux? lui demanda Léo avec une grimace d'écœurement.

—J'ai trouvé la réponse dans la même encyclopédie. Au mot «pus», on explique que les guérisseurs le considéraient autrefois comme un indice de guérison des plaies. Au XVIIIe siècle, on diagnostiquait certaines maladies en observant l'odeur, la couleur et la consistance du pus qui s'écoulait des blessures. Même qu'on devait goûter cette substance qui...

—Pouah! la coupa Léo. C'est dégueulasse!

Le garçon dévisagea leur voisine avec un intérêt nouveau. Ses yeux brillaient, ses joues n'avaient jamais été aussi roses. Elle ne semblait pas du tout répugnée par ces histoires horribles. Cette fille n'était pas banale.

— J'imagine qu'on opérait les malades de cette façon-là à l'époque, en les attachant à un fauteuil avec des lanières de cuir et en stoppant les hémorragies à l'aide d'un fer rouge, en conclut Félix, à la fois fasciné et terrifié.

— De vrais sauvages ! s'écria Léo, plus exubérant que son frère.

— Oui, répondit Emmy. D'après mes recherches dans Internet, cette lettre décrit bien la pratique chirurgicale de ces années-là. Les techniques d'anesthésie n'étaient pas encore au point, et on ne savait pas comment endormir les patients avant de les opérer.

— C'est intéressant. Mais franchement, sans vouloir te vexer, je ne vois pas où est l'énigme.

— Attends, Félix, dit Emmy en montrant les feuilles qu'elle lui avait transmises. Il n'y a pas que ça. Il y a une autre lettre, plus récente. Vous allez mieux comprendre.

Félix la toisa. Où cette fille voulait-elle en venir, à la fin ?

Léo, dont les yeux noirs exprimaient un réel enthousiasme, lui fit signe de poursuivre sa lecture à voix haute.

Mon cher Théodèle,

Je te remercie pour ton soutien moral et je souhaite que tu gardes courage, toi aussi. Ton travail à Québec pour soigner les malheureux atteints de la variole est, ma foi, remarquable.

Voici maintenant plus de quatre ans que j'œuvre à la Grosse-Île et je peux te le confirmer : l'ouvrage y est fort difficile ! En cette année, l'île est peuplée de malades, de mourants et de morts. Des maux atroces s'acharnent sur les souffrants dont les douleurs ne m'ont jamais été tant insupportables.

Et que dire de cette épouvantable épidémie de typhus ! Les malades se comptent par milliers. Il faut débarquer, loger et soigner tous les souffrants, sans compter qu'il faut se préoccuper de la quarantaine et détenir pendant plusieurs jours, conformément à la loi, les passagers en santé qui ont voyagé à bord des navires touchés par les infections. Il y a plus de dix mille personnes détenues sur notre île, dont des centaines d'orphelins. Quelle misère ! Malgré l'arrivée de médecins en renfort, nous sommes exténués.

Combattant jour après jour les risques d'infection, notre équipe médicale dirigée par le docteur Finch, dont je suis l'assistant, fait de son mieux. Depuis une semaine, cet homme vaillant et dévoué est enfin secondé par un plus grand nombre de médecins venus du rivage. Notre équipe d'infirmières est énergique. Nous perdons, hélas ! chaque jour de valeureux membres, emportés par la maladie ou le découragement.

Je garde le moral en m'octroyant chaque soir un peu de temps afin d'expérimenter ma nouvelle technique capable d'endormir les douleurs au cours des chirurgies. Tu seras ravi d'apprendre, j'en suis certain, que ma méthode révolutionnaire est une réussite ! Je dois encore mettre au point quelques dosages, mais je serai bientôt prêt à diffuser ces travaux auprès de tous mes confrères et à te confier le secret de cette invention hors du commun.

Salutations,

FAUBERT D'IMBEAULT

Félix déposa les documents sur le canapé, près d'Emmy :

— La Grosse-Île... C'est une île sur le fleuve Saint-Laurent, pas loin d'ici, non ?

— Oui ; on en a fait une station de quarantaine dans les années 1830, expliqua-t-elle. Les passagers des bateaux venant d'Europe devaient s'y arrêter pour être examinés. On voulait éviter que des épidémies se propagent sur le continent.

— Je crois qu'on nous en a parlé à l'école.

— Qui c'est, ce Théodèle ? demanda Léo. Et ce Faubert Machin ?

— Théodèle Vauthier est né au début des années 1800, répondit Emmy. C'est un de mes lointains ancêtres, du côté de ma mère. Il a fait ses études en médecine avec Faubert, avant de devenir médecin à Québec. Son ami Faubert d'Imbeault était chirurgien à la Grosse-Île. En réalité, je n'en sais pas beaucoup plus que vous. J'ai trouvé ces lettres à la maison dans un vieux coffre, cet été. En les lisant, on a l'impression que ces deux amis correspondaient régulièrement, mais je n'ai pas vu d'autre document les concernant.

— Est-ce qu'il y a vraiment eu tous ces morts sur cette île ?

— C'est pire que ce que tu penses, Léo, répondit Emmy d'un ton solennel.

Elle sortit aussitôt un carnet de son dossier.

—Bon, commença-t-elle en le feuilletant. Avant de vous montrer ma dernière trouvaille, voici quelques détails sur la Grosse-Île. On a décidé d'en faire une station de quarantaine humaine en 1832, alors que les autorités voulaient éviter la propagation d'une épidémie de choléra. Il y avait d'autres épidémies, bien sûr, par exemple la variole, la scarlatine ou la rougeole. Mais le choléra était encore plus meurtrier. La mort était foudroyante! Et comme le redoutait Faubert dans sa première lettre, cette maladie très grave a bel et bien frappé Québec! En 1847, en raison de la famine en Europe, surtout en Irlande, et malgré une épidémie de typhus, ce pays a encouragé l'émigration. Des milliers de gens se sont embarqués pour le Canada. Puisque la ville de Québec était la principale porte d'entrée du pays, la station de quarantaine a reçu la visite de centaines de navires et de milliers de personnes, dont beaucoup de malades. En pleine épidémie de typhus, près de six mille corps y ont été enterrés.

—Où as-tu trouvé toutes ces informations? lâcha Félix, impressionné.

—Dans Internet et dans un livre de mon père sur l'histoire du Québec.

—Six mille corps? répéta Léo. Une grande partie de la terre de cette île est faite de cadavres en décomposition, alors?

Emmy reprit ses notes sans prêter attention au commentaire macabre:

—À vrai dire, 1847 a été une année noire. Plus tard, pendant la Seconde Guerre mondiale, des expériences bactériologiques ont été menées à la Grosse-Île et, par la suite, Agriculture Canada l'a utilisée pour faire une quarantaine animale. Aujourd'hui, c'est un lieu historique qu'on peut visiter. Voilà.

— D'après sa lettre, remarqua Félix, Faubert d'Imbeault aurait mis au point une méthode révolutionnaire pour anesthésier les malades. Il s'agit de quoi exactement?

— C'est là que le mystère commence, car son secret a été bien gardé! Je suis allée à la bibliothèque et, si j'en crois tous les livres que j'ai consultés, ce chirurgien n'a rien inventé du tout. Son nom n'est mentionné nulle part.

— Ha! tu parles! s'exclama Léo, moqueur. Qui sait si sa technique «révolutionnaire» n'a pas plutôt fait progresser la science de la boucherie? Il semblerait qu'à cette époque on avait tendance à faire mourir les malades plus vite, non? Faubert, l'abominable boucher de la Grosse-Île!

Emmy ne put réprimer un sourire:

— C'est malin...

— N'empêche que Léo a raison, ajouta Félix. Rien ne nous prouve que ce gars a fait des trucs extraordinaires. Il aurait très bien pu imaginer tout ça pour se vanter auprès d'un de ses copains et...

— Je ne serais pas venue vous voir si je n'avais pas autre chose à vous montrer, le coupa Emmy en fouillant de nouveau dans sa pochette.

— Super! lança Léo, les yeux brillants. Encore une lettre pleine de cadavres?

— Non. C'est le dernier document, mais le plus important. À la bibliothèque, une thèse consacrée aux médecins du Canada présente un extrait du journal du docteur Finch, l'homme dont Faubert était l'assistant.

— Est-ce qu'on y parle de l'invention du chirurgien? demanda Félix avec impatience.

— Pas vraiment. En revanche, on apprend ce qui est arrivé à Faubert, et c'est horrible.

3 . . . . LE JOURNAL DU DOCTEUR FINCH

MAI 1847

3 mai – *Le surintendant médical a repris ses quartiers saisonniers à la station de quarantaine de la Grosse-Île.*

17 mai – *Une trentaine de navires sont ancrés à la Grosse-Île. Nous traversons la plus grave épidémie de typhus que le Bas-Canada ait connu.*

JUIN 1847

1er juin – *Les installations de la quarantaine ne suffisent plus à accueillir tous les malades, qui sont au nombre de mille trois cents. On a dû les entasser dans les hôpitaux. On compte quatre-vingt-six inhumations par jour. La maladie et l'anarchie règnent à la Grosse-Île.*

16 juin – *L'île compte désormais dix nouveaux médecins. Mon équipe, composée de mon aide-chirurgien Faubert d'Imbeault, de quatre médecins, d'intendants d'hôpitaux, de notre infirmière-chef Ada Duriot et de ses* aides, est enfin complète. Nous sommes autorisés à demeurer à la Grosse-Île à longueur d'année pour améliorer ses installations.

JUILLET 1847

10 juillet – Le typhus continue son œuvre destructrice. Chaque semaine, près de trois cents décès sont comptés. Mon collègue d'Imbeault poursuit ses travaux dans le domaine de l'apaisement des douleurs. Malgré mon soutien et mon respect pour ses recherches, dont je ne connais pas encore la réelle teneur, je constate qu'elles prennent beaucoup de son temps, ce qui nuit aux soins des malades et inquiète les curieux. Je devrai bientôt lui parler.

13 juillet – Des personnes jugées en santé après avoir connu la quarantaine à la Grosse-Île sont déclarées malades sur le rivage.

AOÛT 1847

6 août – Une tragédie intime touche notre équipe. L'épouse de Faubert, qui vivait dans la résidence familiale de mon ami chirurgien, à la Grosse-Île, et qui venait d'être transférée dans le secteur des malades, est morte tôt ce matin. Le choléra l'a emportée dans d'affreuses douleurs.

23 août – C'est la consternation dans le secteur ouest. Mon cher collègue et ami Faubert d'Imbeault a été retrouvé mort ce matin, près de la pharmacie. Accablé par la tristesse et la fureur, j'ai pourtant dû constater moi-même son décès. Son crâne a été endommagé par une chute. Son corps sauvagement tailladé a été réduit à d'infâmes lambeaux de chair. Devant une telle horreur, je puis affirmer que mon pauvre ami n'a pas connu une mort sereine ni naturelle. On prétend que, éprouvé par la disparition de son épouse bien-aimée, Faubert s'est donné la mort. Mais je ne peux y croire. Je crains fort que, dans les circonstances et le contexte actuels, la thèse de l'assassinat soit plus plausible. Hélas, surchargés par les tâches de la station, nous ne pourrons enquêter sur cette atroce affaire. L'équipe affligée pleure ce compagnon dévoué dont nous devrons vite inhumer le corps. Une messe sera dite demain en sa mémoire.

29 août – Alors qu'un nouvel aide-chirurgien vient de m'être envoyé à la Grosse-Île, le malheur continue de s'acharner sur mon équipe. Le corps noyé d'Ada Duriot, notre bonne et dévouée infirmière-chef, a été retrouvé près de la Batterie de canons, à l'aube. C'est un malade, venu se soulager dans les broussailles, qui l'a découvert sur la grève. Nul ne peut dire si un accident malencontreux, la fatigue, le découragement ou la maladie a mené à cette triste fin. Son corps sera inhumé ce soir. L'horrible nouvelle a répandu l'effroi au sein du corps médical. Devant tant d'adversité, poursuivrai-je mon œuvre ?

SEPTEMBRE 1847

11 septembre – Devant la diminution de l'afflux d'immigrants, le surintendant a réduit son personnel médical et infirmier.

26 septembre – Au cours de ce mois, seulement quarante bateaux se sont arrêtés à la Grosse-Île. Je n'ose croire à cette accalmie alors que nos installations sont enfin suffisantes pour accueillir les souffrants en grand nombre.

12 octobre – *Il ne reste que quatre cents immigrants à la Grosse-Île.*

20 octobre – *Ce matin, j'ai retrouvé quelques notes de recherche rédigées par mon défunt aide-chirurgien et ami Faubert d'Imbeault. Hélas! ses derniers résultats d'expérimentation sont incomplets et je ne saurais préciser à quel procédé il travaillait au moment de sa mort. Il me paraît pourtant que l'un de ses textes (« Expériences sur l'usage du protoxyde, été 1843, et sur l'usage des liquides, été 1846 ») mériterait fort d'être connu. Je tâcherai d'en parler dès mon retour à Québec si l'occasion se présente.*

4 . . . . L'INVITATION

Félix paraissait abasourdi par cette découverte :

— Faubert d'Imbeault aurait été assassiné ?

— Un meurtre... murmura son frère, les yeux ronds comme des billes.

— Cette histoire m'obsède, avoua Emmy. Vous rendez-vous compte que personne n'a jamais enquêté sur cette affaire ?

— Rien n'est confirmé, lança Félix. As-tu mis la main sur ce texte, *Expériences sur l'usage du protoxyde et... Machin Chouette* ?

— Je n'y ai pas pensé.

— Si je me souviens bien de notre cours de chimie à l'école, le protoxyde d'azote, c'est ce qu'on appelle le gaz hilarant, non ? résuma Léo.

Félix approuva d'un hochement de la tête.

— Ce n'est pas seulement ça qui m'intéresse, protesta Emmy. Ce que je veux surtout savoir, moi, c'est ce qui est arrivé à Faubert !

— Ses expériences sont importantes, dit Félix d'un air grave et sérieux. Elles ont peut-être un lien avec sa mort. Il faudrait faire des recherches et transmettre une copie de ces documents à David pour voir ce qu'il en pense. Cette histoire est très bizarre.

Contrairement à son frère qui était plus intuitif, Félix avait besoin de réfléchir aux événements avec le plus d'objectivité possible afin d'exercer son esprit logique. Aucun élément ne devait être laissé au hasard ni écarté.

— Dans son journal, ajouta Léo, qui réexaminait le texte, le docteur Finch écrit : *Je crains fort que, dans les circonstances et le contexte actuels, la thèse de l'assassinat soit plus plausible.* Qu'est-ce qu'il veut dire exactement par « le contexte actuel » ? Est-ce qu'il parle des blessures sur le corps de Faubert ou d'autre chose ?

— J'aimerais bien le savoir ! s'exclama Emmy.

— As-tu visité la Grosse-Île ? lui demanda Félix.

— Non, ça me fiche trop la trouille. Avec tous ces trucs qui se sont passés là-bas, toutes ces maladies, ces bactéries... pas question que j'y mette les pieds ! En revanche, ma mère m'a parlé d'une de ses tantes, une ancienne religieuse qui habite l'île d'Orléans. Je ne l'ai jamais rencontrée, mais cette dame aurait des renseignements concernant Théodèle. Je lui ai téléphoné. Elle m'a raconté qu'elle possédait une photo ou une lettre de Faubert. Ou bien de Théodèle... En fait, pour être franche, je n'ai absolument rien compris à ses explications ! Elle avait l'air grognon et j'ai préféré ne pas insister. J'irai lui rendre visite mercredi soir. Justement...

Emmy toussota et ramena une longue mèche derrière son oreille. Elle semblait soudain nerveuse.

— Justement quoi ? répéta Léo après un instant.

— Je réfléchissais à quelque chose tout à l'heure... Si vous vous intéressez à cette affaire, pourquoi ne pas venir avec moi ?

Félix sursauta. Il croisa le regard ahuri de son frère. Ainsi, quelques heures seulement après avoir mis leur site en ligne, une fille qui n'avait rien d'un laideron leur proposait de partir en escapade à l'extérieur de la ville ! Même si c'était pour rendre visite à une vieille grincheuse, l'invitation était bien réelle...

— Euh... murmura Félix, dont le visage s'était empourpré.

— Fau... faudra y penser, bredouilla Léo, un peu dépassé par les événements.

Emmy Vanier ramassa ses documents en silence, puis elle se leva pour prendre congé des deux frères.

— Bon, dit-elle, visiblement très déçue. Ma proposition ne semble pas vous plaire... Je vais numériser ces documents et vous les envoyer par courriel au cas où vous voudriez les examiner encore. Et si vous vous décidez, appelez-moi.

5 . . . . UN SALE PERSONNAGE

Léo appela Emmy dès le lendemain soir pour lui faire savoir qu'ils acceptaient de l'accompagner chez sa grand-tante.

Cette affaire n'était pas banale et soulevait bien des questions. Pourquoi Faubert d'Imbeault était-il demeuré inconnu ? Qu'avait-il réellement inventé ? Avait-il été assassiné ? La vieille femme détenait peut-être des renseignements susceptibles de résoudre ces mystères. Les deux frères désiraient lui poser des questions plus techniques sur les travaux du chirurgien, un aspect qui semblait moins intéresser Emmy.

Félix et Léo transmirent la documentation d'Emmy à David, comme prévu. Leur professeur confirma que les débuts de l'anesthésie moderne dataient des années 1840. Ses connaissances en histoire de la médecine étant limitées, et le nom de Faubert d'Imbeault, inconnu, il leur promit de faire quelques recherches.

Le mercredi arriva bien vite et c'est en fin d'après-midi qu'Emmy, Félix et Léo sautèrent dans l'autobus en direction de l'Île d'Orléans. Avec ses champs rebondis et ses forêts aux couleurs chatoyantes qui descendaient jusqu'au fleuve Saint-Laurent, l'île offrait en cette saison un paysage de carte postale.

La maison de Lisette Grandpré faisait face à l'église de la paroisse de Saint-Pierre. C'était une coquette maisonnette blanche au toit vert, entourée d'un jardin planté d'arbustes. La grand-tante d'Emmy, une femme petite, bien en chair et aux cheveux bleu lavande, reçut ses trois invités avec un brin d'impatience. Ils prirent place dans les fauteuils cossus du salon.

— Je n'ai pas compris ce que vous m'avez raconté au téléphone, dit-elle en leur servant une tasse de chocolat chaud. Vous vous intéressez à Théodèle Vauthier ?

— Oui, répondit Emmy. Nous avons à la maison deux lettres que l'un de ses amis, Faubert d'Imbeault, lui a écrites. Vous les connaissez sans doute.

— Des lettres ?

— Les voici, fit Emmy, intimidée.

Pendant que Lisette ouvrait avec empressement l'enveloppe brune qui lui était destinée, Emmy expliqua les circonstances de leur visite :

— Grâce au journal du docteur Finch que j'ai trouvé à la bibliothèque, on a appris que l'ami de Théodèle, qui travaillait comme chirurgien à la Grosse-Île, est décédé brutalement durant l'été 1847. Ce Faubert d'Imbeault aurait inventé une nouvelle technique pour anesthésier les malades. Il a peut-être été victime d'un meurtre et...

—Quelle surprise! fit la vieille dame. Je ne savais pas que vous possédiez ces documents! Personne dans notre famille n'ignore ma passion pour la généalogie, pourtant. Pourquoi ne me les a-t-on jamais transmis?

—Euh, je ne sais pas...

—Jésus Marie! Ce Faubert ne parle que de lui-même dans ses lettres!

Félix jeta un coup d'œil vers son frère. Sa première impression se confirmait: l'ancienne religieuse n'était pas commode. Était-ce la raison pour laquelle Emmy avait souhaité être accompagnée? Leur voisine n'avait pas osé affronter ce dragon mauve toute seule...

—P... pouvez-vous nous parler de Théodèle? bredouilla Emmy en tâchant d'être le plus polie possible. Et de ce que vous savez de son ami Faubert?

—Théodèle Vauthier était mon arrière-arrière-grand-oncle, répondit la dame. Après des études de médecine et de chirurgie, il a travaillé à Québec pour venir en aide aux émigrés souffrant de maladies contagieuses. C'est là qu'il était pendant l'épidémie de choléra... Puis il a travaillé à l'Hôpital de la Marine tout en soignant les malades atteints de la variole. Il est décédé à Québec en 1877. Quant à son ami Faubert d'Imbeault, celui qui vous intéresse tant, il s'est vite exilé à la Grosse-Île après ses études. Et je ne commenterai pas ses mœurs légères...

—Que voulez-vous dire?

—Cet homme était marié, mais cela ne l'empêchait pas d'avoir des aventures. Sa pauvre épouse est sans doute morte de chagrin.

— C'est faux! déclara Félix sur un ton plus agressif qu'il ne l'aurait souhaité. Selon le journal du docteur Finch, la femme de Faubert est morte du choléra.

— Finch était sûrement l'un de ses amis, rétorqua Lisette. Il n'aura pas voulu ternir l'image de Faubert, ce plaisantin qui semblait aussi bon médecin que je suis capitaine de navire.

Léo pouffa de rire. Il imaginait la dame en habit de marin hurlant des ordres aux moussaillons d'un trois-mâts. Ce rôle ne lui allait pas si mal.

— Avez-vous déjà entendu parler d'expériences que Faubert aurait menées sur l'usage de protoxyde ou de certains produits chimiques? lui demanda Félix.

— Non.

— Vous n'aimez pas beaucoup Faubert d'Imbeault, dit Léo, qui avait repris son sérieux.

— Je ne puis te le cacher, mon garçon. J'en ai rencontré, des personnages, au cours de mes recherches généalogiques, tu sais. Des femmes et des hommes courageux, honnêtes, parfois héroïques, souvent imparfaits, mais jamais fourbes! Avec le temps, rien de tout ce que j'ai appris de la vie de Faubert n'est parvenu à me le rendre aimable. J'ai toujours eu une sainte horreur des histoires d'adultère, des êtres manipulateurs et cachottiers! Cet homme avait une maîtresse, j'en suis certaine. Même s'il paraissait très doué pour dissimuler ses actes dégoûtants... Et je vais même te prouver ce que j'avance.

Lisette Grandpré se leva de son fauteuil pour aller chercher une enveloppe posée sur le buffet. Ses pas firent craquer le parquet de bois. Lorsqu'elle reprit sa place auprès de ses invités, la vieille femme laissa échapper une photographie.

— Voici justement nos deux hommes, dit-elle à l'adresse de Félix, qui avait ramassé l'épreuve en noir et blanc aux coins jaunes et racornis. À gauche, c'est Théodèle. À droite, Faubert. Cette photo est un daguerréotype et elle a été prise à la fin de leurs études de médecine. C'est le seul portrait que j'ai de mon ancêtre.

Théodèle Vauthier avait des cheveux clairs brossés vers l'arrière. Son nez aquilin et sa bouche fine et pincée lui donnaient un air sévère rehaussé par des sourcils en forme d'accent circonflexe. Faubert d'Imbeault ne ressemblait pas à l'image que Félix s'en était faite. Son allure était aussi austère que celle de son ami. Plus petit que Théodèle, l'énigmatique chirurgien avait un regard à la fois sombre et perçant, un grand front, des cheveux noirs bouclés et de longues oreilles. Tous deux étaient vêtus d'une redingote noire et d'une chemise blanche.

Léo paraissait hypnotisé par la vieille photographie. Lisette tendit deux feuilles à l'intention d'Emmy :

— Ces lettres me laissent à penser que ce Faubert était un sale personnage sans moralité.

La jeune fille les saisit avec délicatesse. Elle se racla la gorge et s'apprêta à lire.

— C'est une écriture que je reconnais, dit-elle avec un sourire timide auquel sa grand-tante ne répondit pas.

Cher Théodèle,

En lisant ce mot qui a été mystérieusement déposé sur le pupitre de mon laboratoire tôt ce matin, tu pourras saisir la situation fort embarrassante dans laquelle je me trouve. Je te prie de me transmettre ton avis qui m'est toujours si précieux. Tu comprendras que je ne peux pas considérer cette affaire avec sérieux. L'ouvrage de la médecine prend tout mon temps. Je ne peux dépenser mes forces à défendre mes sentiments honnêtes alors qu'elles sont réclamées pour soulager les maux physiques atroces qui sévissent et tuent à la Grosse-Île.

À bientôt, cher ami.

FAUBERT D'IMBEAULT

— Lis l'autre, maintenant! ordonna Lisette à Emmy, qui s'exécuta aussitôt.

Mon cher Faubert,

Depuis votre arrivée sur notre île, je ne peux qu'admirer l'homme courageux que vous êtes. Je vous soutiens dans votre ouvrage auprès de nos malades ainsi que dans vos travaux d'expérimentation, difficiles et délicats, auxquels vous semblez si attaché. Mais je le sens du plus profond de mon être : nous partageons d'autres élans. Notre collaboration au profit de la science ne saurait occulter les sentiments de l'âme que nous ressentons l'un pour l'autre...

C'est pourquoi je ne peux consentir à demeurer plus longtemps sans l'assurance de voir nos destinées scellées pour toujours. Je vous en conjure : quittez votre épouse. Nous pourrions vivre ensemble dans la passion de la médecine, votre véritable compagne.

Si vous ne m'offrez pas cette promesse d'amour tant espérée, je n'aurai d'autre souhait que de mettre fin à ces jours inutiles qui me servent de vie.

Votre Ada qui vous aime

—C'est complètement débile… murmura Félix, dégoûté par ces manipulations sentimentales. Cette femme voulait que Faubert quitte son épouse et menaçait de se suicider!

—Pouah! lança Léo, déçu.

—*Cette promesse d'amour tant espérée*, répéta Emmy. Comme c'est romantique!

Satisfaite, Lisette affichait un air pincé qui signifiait: «Je vous l'avais bien dit!» Félix s'empara de son sac à dos et sortit les photocopies des documents dont ils avaient déjà pris connaissance. Il repéra enfin les extraits qu'il cherchait.

—Ada, ce doit être Ada Duriot, la femme dont parle Finch dans son journal le 16 juin 1847. Il en parle aussi plus tard, quand son cadavre a été découvert: *Le corps noyé d'Ada Duriot, notre bonne et dévouée infirmière-chef, a été retrouvé près de la Batterie de canons, à l'aube. C'est un malade, venu se soulager dans les broussailles, qui l'a découvert sur la grève. Nul ne peut dire si un accident malencontreux, la fatigue, le découragement ou la maladie a mené à cette triste fin.*

—Le docteur Finch ne dit pas qu'elle s'est peut-être suicidée à cause d'une peine d'amour, remarqua Emmy. Il ignorait sûrement qu'elle était amoureuse du chirurgien, à moins qu'il n'ait voulu gardé le secret.

—En tout cas, la note de Faubert me paraît claire, déclara Félix. Le chirurgien n'a pas répondu aux avances de l'infirmière.

— On s'en fout pas mal, non? lança Léo à l'adresse de son frère.

— On ne peut pas s'en ficher, jeune homme! rétorqua Lisette en le fusillant du regard. Pour moi, aucun doute n'est possible. Il est évident que ce chirurgien a usé de ses charmes pour envoûter cette demoiselle.

La vie sentimentale de Faubert devenait un sujet épineux... Emmy tâcha de faire dévier la conversation:

— Que s'est-il passé ensuite, après l'échange de lettres entre Théodèle Vauthier et Faubert d'Imbeault?

— Je n'en sais rien, répondit Lisette. Les intrigues de ce M. Faubert n'ont pas dû l'aider à se faire apprécier là-bas et...

— Bon, vous n'avez pas d'autres archives sur votre ancêtre Théodèle? l'interrompit Félix, qui ne supportait plus les propos diffamants de la vieille femme.

— Non. J'ai longtemps cherché le journal qu'il tenait, à l'instar de beaucoup de médecins de l'époque. Mais j'ai su qu'un de ses descendants l'a vendu à un antiquaire il y a plusieurs années. Une opération marchande révoltante. Comment peut-on faire du commerce avec des souvenirs de famille?

La grand-tante d'Emmy semblait chagrinée. Elle tourna les yeux vers la fenêtre. Le vent sifflait et faisait danser les arbustes dans le jardin.

— Nous allons vous laisser, dit Emmy, embarrassée par le silence qui s'était installé. Merci pour tous ces renseignements. Nous allons tenter de retrouver la trace de ce journal.

— Une dernière chose, madame, ajouta Félix. Savez-vous s'il y a, à la Grosse-île, des vestiges qui datent de l'époque de Faubert d'Imbeault ?

— Pour être franche avec toi, je ne m'en suis jamais préoccupée.

— Alors on n'a pas d'autre choix que d'y aller, non ? déclara-t-il en se tournant vers son frère, l'air complice.

— Ce serait super ! répondit Léo.

Les frères ne remarquèrent pas le regard affolé d'Emmy.

6 . . . . LA GROSSE-ÎLE

Dès le lendemain, Léo et Félix s'attelèrent à une tâche particulière et bien excitante qui allait mettre leur site ENIGMAE à l'épreuve.

Dans la section qui leur permettait d'adresser de courts messages aux internautes, ils lancèrent un premier appel à tous. Leur avis de recherche précisait qu'on souhaitait retrouver les traces d'un document d'archives, le journal d'un docteur de Québec, Théodèle Vauthier, datant des années 1800. Sur le conseil de leur grand-père, ils envoyèrent l'avis à une vingtaine d'adresses pertinentes : des sites d'enchères, d'antiquaires et d'associations de généalogie. Ils y consacrèrent plusieurs heures après l'école, mais le jeu en valait la chandelle. Puisque le document avait été vendu, cette transaction devait sans doute être enregistrée quelque part.

Il avait fallu peu de temps pour convaincre Emmy de la nécessité de visiter la Grosse-Île. N'était-ce pas précisément là que les incidents mystérieux impliquant Faubert d'Imbeault s'étaient déroulés ? La jeune fille avait fini par accepter ce voyage avec enthousiasme, témoignant d'une confiance absolue en ses deux amis.

Il ne restait que quelques semaines avant que le parc de la Grosse-Île ferme ses portes pour la saison hivernale. Il fallait donc se hâter. Les trois adolescents partirent dès le samedi suivant. Le bateau quittait le port de Québec le matin et revenait en fin d'après-midi.

***

Le fleuve Saint-Laurent scintillait tel un saphir. Ses eaux limpides, survolées par des centaines d'oies blanches, berçaient l'archipel de l'Isle-aux-Grues, au cœur duquel se trouvait la Grosse-Île. En ce matin d'automne froid et ensoleillé, Félix, Léo et Emmy avaient pris place à bord de l'un des seuls bateaux autorisés à débarquer des visiteurs à l'île de la quarantaine. Ils s'étaient installés à l'écart des autres passagers, parmi lesquels on comptait un groupe de personnes âgées ainsi qu'une femme chic. Ils restèrent silencieux une bonne partie de la traversée, chacun semblant plongé dans ses pensées.

— Est-ce qu'on pourrait récapituler les éléments de notre enquête ? demanda Emmy en relevant la capuche de son anorak afin de se protéger du vent.

— À toi l'honneur, dit Félix en s'adressant à son frère.

Félix était moins doué que son frère pour ce genre d'exercice. S'il était méticuleux et jouissait d'un grand esprit logique, il ne possédait pas un sens de la synthèse aussi développé que celui de Léo. Sous ses airs coquets et délurés, ce dernier avait beaucoup de mémoire et une réelle aisance à dégager l'essentiel des faits et des choses.

— Selon ce que l'on sait, dit Léo, Faubert d'Imbeault était chirurgien et inventeur. Il a vécu à la Grosse-Île de 1843 jusqu'à sa mort, en 1847. Il était l'assistant, le collègue et l'ami du docteur Finch.

— Jusque-là, tout va bien, convint Emmy.

— Il avait un autre ami, Théodèle Vauthier, médecin à Québec, auquel il écrivait de temps en temps, et une collaboratrice très proche, l'infirmière-chef Ada Duriot, avec laquelle il menait de mystérieux travaux dans le domaine de l'anesthésie. Elle était amoureuse de lui, mais il semblerait que lui ne l'aimait pas. Faubert était marié à une femme qui est morte du choléra en août 1847. Selon le journal de Finch, à la fin du même mois, on a retrouvé le cadavre de Faubert mutilé près de la pharmacie et celui d'Ada Duriot près de la Batterie de canons.

— Quel casse-tête ! murmura Félix.

— Et Faubert aurait soi-disant mené des expériences scientifiques révolutionnaires dont on ignore tout, compléta Léo.

Son frère allait ajouter un commentaire lorsqu'il s'aperçut que leur bateau approchait de sa destination finale.

— On arrive ! lança Emmy.

Recouverte d'arbres, longue et assez plate, la Grosse-Île présentait une côte rocheuse et austère à laquelle s'agrippaient plusieurs bâtiments blancs plus ou moins décrépits. Félix eut un seul mot en tête lorsqu'il la vit :

« désolation ». Il aimait beaucoup ce mot, même s'il n'avait jamais trop compris ce qu'il signifiait. Était-on désolé en voyant un tel paysage ? Ou bien le paysage était-il désolé d'être devant nous ? En tout cas, ce mot exprimait parfaitement ce qu'il ressentait.

Le bateau accosta enfin le quai de l'île de la quarantaine. Vêtus d'un uniforme vert et rouge, une fille au joli visage parsemé de taches de rousseur et un jeune homme aux cheveux noirs attachés en queue de cheval accueillirent les visiteurs à peine débarqués. Ils leur offrirent un dépliant ainsi qu'un plan de l'île et déballèrent leurs consignes. On sentait que le temps était compté.

— Bienvenue à la Grosse-Île, lieu historique national du Canada ! Sur ce bout de terre d'une superficie d'à peine trois kilomètres carrés, près de quatre millions d'immigrants ont débarqué comme vous, entre 1832 et 1937 ! Je m'appelle Isabelle, et voici Robin. Nous sommes vos guides et restons à votre disposition pour répondre à vos questions durant la visite. L'île comprend trois secteurs : le secteur ouest, où nous sommes actuellement, et les secteurs centre et est, qui ne sont accessibles qu'en empruntant le petit train menant à l'extrémité de l'île. Vous ne pouvez circuler et marcher librement que dans le secteur ouest. Dans les autres secteurs, nous vous demandons de suivre les règlements à la lettre : il est défendu de franchir la barrière du poste de garde ou toute autre barrière, de visiter les secteurs centre et est sans être à bord du train-balade, et de descendre du train à moins d'y être invité par un guide. Votre visite de la Grosse-Île durera environ quatre heures. Vous devrez être de retour sur ce quai à quinze heures pour reprendre le bateau. Il y a une cafétéria, des toilettes et une boutique dans le secteur ouest.

Vous pouvez visiter ce secteur à votre guise ou bien suivre le guide qui vous attendra dans quelques minutes au seuil de l'édifice de désinfection, sur votre droite. Nous vous rappelons qu'il est interdit de franchir les cordes et les barrières. Bonne visite!

Bonne visite, tu parles! Léo regarda son frère. Il semblait aussi découragé que lui. Avec tant de consignes à respecter et de lieux défendus, il leur serait impossible de parcourir l'île à leur aise. Pourquoi tant de restrictions? Qu'est-ce que ces vieux bâtiments en ruine avaient donc de si précieux?

Léo s'adressa à la jeune guide sur un ton un peu hargneux:

— Pourquoi est-ce qu'on ne peut pas visiter cette île tout seuls et comme on le veut?

— Il y a des zones dangereuses, répondit la jeune guide, visiblement habituée à ce genre de réaction. Le sol n'est pas toujours stable et les édifices ne sont pas tous en bon état. C'est surtout pour des raisons de sécurité qu'on vous interdit certains accès.

— Et c'est quoi, les autres raisons?

— On doit préserver les vestiges et les protéger des dommages que les visiteurs pourraient leur causer.

Léo écarquilla les yeux. Pourquoi la guide avait-elle parlé de dommages causés par les visiteurs? Parce que Léo était jeune et qu'elle le prenait pour un voyou, il l'aurait parié. Il fit une grimace et marmonna quelque chose d'incompréhensible.

Emmy ronchonnait en déchiffrant le plan de la Grosse-Île, qui indiquait la localisation de chaque vestige ainsi que les dates de construction:

— Comme par hasard, le secteur ouest où on peut se promener librement est minuscule...

— Mais il n'y a aucun vestige datant de 1847! s'emporta Léo, qui tournait le plan dans tous les sens.

Félix, déçu, examina la carte détaillée de l'île. Il finit par montrer un symbole sur le papier glacé:

— On dirait qu'il n'y en a qu'un seul, plus à l'est: *Lazaret, bâtiment où on isolait les malades contagieux...* Il ne faudra pas le manquer! Bon, on n'a pas beaucoup de temps. Je vous propose de commencer par l'édifice de désinfection, puis par le secteur ouest. Ensuite, on prendra le train pour aller jeter un coup d'œil à la maison du surintendant.

***

L'édifice de désinfection était une imposante structure de bois. Alors que la station de quarantaine remplissait ses fonctions d'inspection des navires, de désinfection et de détention des personnes malades et bien portantes, on avait installé dans ce bâtiment d'énormes chaudières au charbon destinées à produire la vapeur nécessaire aux opérations de désinfection au formaldéhyde.

— Brrr... cet endroit est sinistre, déclara Emmy en frissonnant devant les chariots en fer où l'on plaçait jadis les bagages et les vêtements des immigrants pour les sté-riliser dans les étuves.

— J'espère qu'on en ressortira vivants, ajouta Léo, peu rassuré.

Accrochées au mur, de vieilles photographies en noir et blanc montraient des scènes d'époque. On y voyait des milliers d'hommes, de femmes et d'enfants. Ils avaient dû quitter leur pays ravagé par la famine et traverser l'océan dans d'affreuses conditions sanitaires pour atteindre la terre du Nouveau Monde, pleine de promesses et d'espoir...

Au premier étage, Félix, Léo et Emmy découvrirent avec une curiosité mêlée d'effroi les allées de métal qui abritaient les douches. Le froid automnal avait pénétré les lieux, accentuant l'austérité des petites cabines grises. Les structures grincèrent sous le pas des visiteurs. C'est ici que chaque nouvel arrivant recevait une douche à l'eau chaude additionnée de savon désinfectant... Cet instant devait être un réel réconfort après des semaines de traversée atroce sur des bateaux bondés et malpropres. Malgré tout, une sensation de malaise envahit les adolescents. Ces couloirs métalliques ressemblaient aussi à ceux d'un abattoir ! Il n'était pas difficile d'imaginer des bêtes mutilées pendues par les pattes à des crochets, ni un fleuve de sang chaud traverser les grilles coupantes qui recouvraient le sol...

De retour au rez-de-chaussée, Félix, Léo et Emmy se concentrèrent sur leur enquête et lurent avec attention les panneaux d'interprétation sans trouver aucune mention du travail de l'équipe médicale du docteur Finch ni des expé-riences scientifiques menées par son chirurgien.

Ils quittèrent en hâte l'édifice inquiétant et se dirigèrent vers les hôtels décrépits construits face au fleuve
pour accueillir les immigrants en observation. Après une
pause à la cafétéria aménagée au rez-de-chaussée de
l'ancien hôtel de troisième classe, ils prirent le chemin
du cimetière des Irlandais en passant par la Croix celtique. Le monument en pierre taillée qui commémorait la
Grande famine irlandaise et l'épidémie de typhus de 1847
se dressait comme un géant au milieu des arbres.

À proximité du cimetière, près de cette étendue de
gazon vallonnée et parsemée de nombreuses croix blanches
et anonymes, un monument commémoratif moderne
avait été érigé. La structure transparente présentait la liste
des centaines d'immigrants et d'employés de la station
inhumés là. Les trois adolescents y découvrirent avec
émotion les noms de Faubert et de Dalhia d'Imbeault,
ainsi que celui de l'infirmière-chef Ada Duriot, tous trois
décédés sur cette terre isolée. Seuls les noms et les prénoms
étaient gravés, sans date ni autre précision.

Léo contempla le paysage étrange, à la fois paisible et
funèbre, qui les entourait :

— J'aimerais bien savoir ce que cachent ces talus.
Peut-être qu'en creusant on trouverait des corps ou des
cercueils.

— Ne t'avise pas d'essayer ! lança Emmy.

— Ne t'en fais pas, Emmy, la rassura Félix. Sous ses
airs d'Indiana Jones, mon frère est plutôt peureux. Il serait
le premier à déguerpir si quelqu'un commençait à creuser
la terre !

Léo grimaça et leva son bras comme s'il voulait frapper son frère qui rigolait. Ils rejoignirent le groupe de visiteurs qui écoutait les explications des guides, Isabelle et Robin.

—Il y a trois cimetières à la Grosse-Île, expliqua Isabelle. Le plus vaste est celui près duquel nous sommes actuellement, le cimetière des Irlandais. Durant la seule année 1847, plus de cinq mille personnes ont été enterrées ici.

—Les premières installations de quarantaine ont été aménagées dans le secteur ouest, compléta Robin. Après l'épidémie de typhus, à partir de 1848, on a isolé à l'est les personnes malades pour éviter les risques de contagion. Le centre de l'île était le village, réservé au logement du personnel.

—Et vous? demanda Emmy abruptement. Où habitez-vous? Est-ce que les guides vivent à la Grosse-Île?

—Heu... oui, bredouilla Robin. Nous sommes logés dans un bâtiment appelé le Bloc d'en haut, près de la baie du Choléra. C'est l'édifice qu'occupaient les marins de la station et leur famille.

—Il y avait une pharmacie en 1847, non? fit Léo.

—Elle était dans le secteur ouest, près des premiers hôpitaux. Mais vous n'en trouverez aucune trace. Tous ces bâtiments ont aujourd'hui disparu.

—Savez-vous si des expériences médicales importantes ont été menées ici pendant l'épidémie de typhus de 1847? demanda Félix.

Isabelle lui répondit. Elle semblait réciter un texte appris par cœur :

— Le docteur Montizambert, bactériologiste et surintendant médical de la station de 1869 à 1899, a fait de nombreuses recherches. C'est grâce à lui que la Grosse-Île a été dotée, dès 1893, d'installations modernes permettant l'accueil des immigrants.

— Oui, mais en 1847 ? insista Félix, impatient. Plus précisément, est-ce que des expériences ont été réalisées dans le domaine de l'anesthésie ?

— Si c'est le cas, je n'en ai jamais entendu parler.

— Moi non plus ! lança-t-on dans le groupe des visiteurs.

Félix regarda avec surprise la jeune femme chic du bateau, qui venait de parler. Dans la trentaine, plutôt petite, les cheveux noirs tirés en chignon, la bouche ourlée d'un rouge à lèvres vif, elle portait une tenue guindée et des bottes à talons.

— Nous avons une spécialiste parmi nous, précisa la guide. Je vous présente Martine Frenette, une étudiante qui rédige un mémoire de maîtrise sur l'épidémie de choléra de 1832. Elle demeurera d'ailleurs un moment à la Grosse-Île, le temps de faire son étude de terrain. Maintenant, je vous invite à explorer ce vieux cimetière... Rendez-vous dans vingt minutes au départ du petit train, en direction des secteurs centre et est.

— Félix ! Léo ! cria Emmy, qui s'était éloignée. Venez donc voir !

Les deux frères quittèrent le groupe pour rejoindre leur amie près du monument commémoratif moderne, dont elle examinait encore les inscriptions.

— Regardez ! leur dit-elle au comble de l'excitation.

Félix déchiffra la plaque de verre.

— *Famille d'Imbeault, 6 août 1847. À la mémoire de Dalhia (1821-1847), laissant dans le deuil son époux, l'aide-chirurgien Faubert (1810-1847), et leur fils bien-aimé, Basile (1842-1918).*

— Un fils d'Imbeault ! s'exclama Léo. C'est la première fois qu'on en entend parler !

— Il est mort en 1918, remarqua Félix. Il faudra faire des recherches à son sujet. Et cette étudiante, c'est tout de même bizarre qu'elle ne soit pas au courant des expériences scientifiques de Faubert.

— Son sujet d'étude, c'est une épidémie qui s'est déclarée en 1832, objecta son frère. À ce moment-là, Faubert ne travaillait pas encore à la Grosse-Île.

— Je commence à me demander si ça valait le coup de venir ici, soupira Emmy. Faubert est inconnu et il n'y a plus un seul bâtiment qui date de son époque, ou presque. On ne sait même pas ce qu'on cherche !

— Ce n'est pas le moment de se décourager, protesta gentiment Félix. On vient à peine d'arriver ! En menant une enquête sur des événements qui se sont produits il y a plus de cent cinquante ans, il fallait s'attendre à rencontrer des obstacles.

— N'empêche que...

—Hé, je viens d'entendre le klaxon du train-balade, les coupa Léo. Il faut se dépêcher si on veut jeter un œil sur les autres secteurs de l'île !

Ils eurent tout juste le temps de grimper dans l'un des wagons bariolés du petit convoi qui transportait le groupe de retraités et les guides.

***

Le train serpenta lentement entre les vestiges, puis il longea la forêt de feuillus et de conifères couvrant une grande partie des terres. Lorsqu'il atteignit l'extrémité est de l'île, on permit enfin à ses passagers de descendre pour pénétrer dans le seul édifice encore debout construit en 1847, le lazaret.

Léo, Félix et Emmy purent vite constater que le long bâtiment de bois vert et blanc édifié face au fleuve était vide, à l'exception de quelques panneaux explicatifs et d'une vitrine exposant des céramiques. Au fond du lazaret, une salle aux fenêtres teintées et aux murs peints en rouge avait été aménagée.

—Construit d'abord pour les immigrants en santé, expliqua Robin, cet abri fut ensuite converti en hôpital pour les malades atteints de la variole.

—C'était une maladie horrible... murmura Léo en faisant rouler ses yeux à la manière d'un monstre.

—En effet, dit Robin qui l'avait entendu. Cette infection virale, qui n'a été éradiquée qu'en 1980, se manifestait par une fièvre élevée, des maux de tête abominables, des douleurs intenses dans le dos et l'abdomen et une éruption de taches rouges se transformant en de grosses pustules dégoûtantes. Ces lésions atteignaient tous les organes du corps humain. Elles étaient très contagieuses et laissaient de profondes cicatrices. Elles causaient souvent la mort du malade, qui agonisait des heures durant dans d'affreuses souffrances. On raconte que leurs cris atroces déchiraient le silence des nuits et effrayaient les animaux.

Le guide avait changé de ton, prenant manifestement un malin plaisir à décrire l'infection. Sensible aux détails, qui avaient dépassé ses espérances, Léo n'avait plus le cœur à faire des farces. Robin pénétra dans la salle rouge du lazaret, précédant le groupe qui n'osait plus avancer.

—À l'époque, reprit-il, on pensait que la lumière du jour pouvait rendre ces malades aveugles. On croyait également aux pouvoirs thérapeutiques de la couleur rouge pour soigner les infections de la peau. C'est pourquoi on avait aménagé cette pièce teintée au fond de l'hôpital des « picotés ».

Les touristes errèrent en silence dans l'étrange salle vide, puis se hâtèrent de remonter à bord du train-balade. Les deux frères auraient souhaité examiner de plus près le seul lieu qui témoignait de l'an 1847, mais la visite se poursuivait à la vitesse de l'éclair et leurs guides ne toléraient aucun retard.

Un arrêt fut tout de même effectué à la chapelle catholique, que les visiteurs purent explorer librement pendant une petite heure. Félix, Léo et Emmy en profitèrent pour jeter un coup d'œil à la Batterie de canons située non loin.

Installées près du rivage qui sentait bon la vase et les algues, les pièces d'artillerie dominaient le Saint-Laurent depuis 1832. Ces canons avaient servi à rappeler aux navires l'arrêt obligatoire qu'ils devaient effectuer devant la Grosse-Île. Sous le criaillement des oies sauvages parcourant le ciel, Léo, Félix et Emmy inspectèrent la rive envahie par les herbes aquatiques.

— Dire que c'est ici que le cadavre de l'infirmière a été retrouvé il y a plus de cent cinquante ans, fit Léo, qui arrachait des broussailles et grattait la terre près de l'eau.

— Il n'y a rien de particulier dans ce coin, admit Emmy, déçue.

Ils restèrent un bon moment à fouiner dans les parages. Félix fouilla dans les buissons. Emmy se contenta d'observer le fleuve, dépitée. Léo s'obstina à déraciner les mauvaises herbes à la base de l'un des canons. Puis il mit à nu une petite allée de pierres grises qui partait de la batterie jusqu'au fleuve. Ses mains étaient écorchées par les ronces, et ses ongles, noirs de terre.

— Qu'est-ce que tu fabriques ? lui lança Félix, furieux. On va nous repérer avec tes bêtises.

— On devrait plutôt me donner un salaire !

— Le plan indique d'anciens bâtiments militaires en bois, dit Emmy, qui s'était replongée dans la documentation. Mais tout a disparu.

Félix s'assit sur un rocher, dépité.

— Franchement, je ne vois pas ce qu'on pourrait découvrir ici après autant d'années ! Il y a de la végétation partout et on ne peut même pas marcher au bord du fleuve!

Léo se frotta les mains pour les nettoyer, puis ils reprirent le chemin en sens inverse. En attendant le départ du train-balade, ils décidèrent de visiter le grand hangar au sol terreux situé face à l'église. Perchée sur ses quatre hautes roues, une vieille ambulance en bois noir occupait le centre de la pièce. Elle avait été jadis tirée par un cheval. Sur les murs, des cadres affichaient quelques photographies et des explications : des ambulanciers, des chevaux, des bateaux et des chaloupes, des enfants souriants vêtus d'habits en lambeaux, de vieilles femmes en tablier chaussées de lourds sabots de bois, des sépultures, des tempêtes et des glaces coupantes bloquées sur le fleuve...

— Regardez! s'écria soudain Félix en indiquant le mur.

Cette salle, qu'ils avaient failli ne pas visiter, abritait quelque chose à propos de leur mystérieuse affaire!

Léo et Emmy s'approchèrent de la minuscule photographie en noir et blanc, et déchiffrèrent en silence le court texte inscrit sur sa bordure inférieure.

Infirmière à la Grosse-Île de 1842 à 1847, Ada Duriot (1819-1847) a œuvré auprès des malades avec courage et abnégation.

La photographie montrait le profil gracieux d'une magnifique femme aux cheveux noirs et aux yeux clairs. Son expression était à la fois douce et déterminée. Félix, Léo et Emmy restèrent bouche bée.

— Comme c'est touchant de voir son visage, murmura enfin Emmy. Et elle se mourait d'amour pour Faubert !

— Si on se fie à cette note, elle avait une bonne réputation, dit Félix.

Léo s'était approché du mur, si près qu'il louchait en scrutant le portrait.

— Elle est belle, ajouta-t-il, impressionné. Je l'imaginais plus vieille, bossue, avec des poils au ment...

Mais un coup de klaxon interrompit cette description peu flatteuse. Le train partait, et les touristes devaient quitter les lieux immédiatement. À regret, Emmy et les deux frères coururent vers la sortie et sautèrent dans le wagon, sous l'œil réprobateur des guides qui s'impatientaient.

Il était presque quinze heures, et le bateau du retour attendait ses passagers. Dans la lumière rose de cet après-midi d'automne, sous l'emprise de la puissance des vestiges, du portrait d'Ada et des milliers de fantômes qu'ils laissaient derrière eux, Léo, Félix et Emmy quittèrent l'île de la quarantaine.

7 . . . . DES EXPÉRIENCES ÉTRANGES

Deux semaines après leur excursion à la Grosse-Île, Félix, Léo et Emmy se réunirent au domicile des Valois. Les frères avaient laissé leur site Internet aux soins de leur grand-père informaticien en raison d'un problème technique. Personne n'avait répondu à leur avis de recherche concernant le journal du docteur.

Emmy s'installa sur le vieux canapé, ravie de constater l'enthousiasme de ses amis. Leur intérêt pour le mystère d'Imbeault semblait s'être accru. À voir les sandwichs au thon garnis de salade, le bol de croustilles aussi grand qu'une auge et les boissons gazeuses disposés sur la table basse du sous-sol, la soirée s'annonçait longue.

— Il y a du nouveau dans notre affaire, lui dit Léo, les yeux brillants.

— Génial, répondit Emmy en croquant dans une croustille.

— D'abord, commença Félix, on n'a rien trouvé sur Basile, le fils de Faubert. Ensuite…

— Coucou, c'est moi ! lança-t-on soudainement depuis le haut de l'escalier.

C'était la voix de Diane. La grand-mère descendit quelques marches, avant de s'adresser aux jeunes.

— Ne vous dérangez pas pour moi, ajouta-t-elle. Je ne fais que passer pour vous annoncer une bonne nouvelle. Je ne sais pas si les garçons ont eu le temps de t'en parler, Emmy.

— Pas encore, intervint Félix.

— En tout cas, c'est arrangé, déclara-t-elle. J'ai un ami qui travaille au gouvernement fédéral, et il vous a obtenu une autorisation pour séjourner à la Grosse-Île durant le congé de l'Action de grâce, si le projet vous intéresse toujours, cela va de soi.

— C'est génial ! s'exclama Emmy, ébahie.

— En général, reprit Diane, le public n'est pas autorisé à dormir là. C'est un privilège, en quelque sorte. J'ai parlé à un guide, tantôt, Robin Villeneuve. C'est un jeune homme sérieux. Il m'a assuré que l'endroit était tout à fait sûr. Il se souvient de vous et a accepté de veiller à ce que tout se passe bien. Je sais que vous êtes raisonnables et très débrouillards, les garçons. N'empêche que, si vous avez le moindre problème, vous devez me promettre d'en parler à Robin et de nous appeler immédiatement, on est bien d'accord ?

— Promis ! lança Léo, qui se leva pour aller embrasser sa grand-mère.

— Merci, mamie, dit Félix en lui glissant un clin d'œil complice.

— Le congé de l'Action de grâce ? s'écria Emmy. Mais c'est dans quelques jours !

Diane haussa les épaules dans un geste d'excuse.

— Hélas, c'était la seule possibilité ! Après cette date, la Grosse-Île ferme ses portes jusqu'à l'été prochain. Mais vous pouvez aussi décider de reporter votre projet.

— Non, ce sera parfait, dit Félix. On n'a pas eu le temps de tout visiter ni de poser nos questions aux guides. Ce sera l'occasion de le faire. Sais-tu où on dormira là-bas ?

— On m'a parlé d'un bâtiment en hauteur, dans la baie du Gros Rat. Un nom comme ça, assez sinistre.

— Ce doit être le Bloc d'en haut dans la baie du Choléra, rectifia son petit-fils en rigolant. Un guide nous a expliqué que c'était là que le personnel du parc habitait.

— Ah bon ! fit Diane qui remontait déjà l'escalier. J'espère que tout se passera bien et que vous ne le regretterez pas. Je vous laisse, maintenant.

— C'est vraiment génial, répéta Emmy en acceptant le sandwich que lui proposait Félix. Je comprends pourquoi vous étiez si excités tout à l'heure !

— Il n'y a pas que ça, annonça Léo, l'air mystérieux.

— Quoi d'autre ? Vous avez découvert quelque chose ?

— Ça se pourrait...

— OK ! dit Félix, qui avait perdu patience le premier. On a d'abord fait des recherches dans Internet. Ça n'a rien donné et on a failli tout abandonner. Puis David a eu l'idée d'aller à la bibliothèque des sciences de l'université. Et là, imagine-toi que, dans un recueil d'articles divers sur la médecine, il a trouvé le texte de Faubert d'Imbeault, celui dont le docteur Finch parlait dans son journal.

—Quoi?

Félix sortit des feuilles d'une chemise cartonnée, puis poursuivit:

—Tu te souviens que, dans son journal, Finch parle d'un texte de Faubert qu'il a découvert dans ses affaires après sa mort. Attends, je cherche sa phrase... Ah oui, la voilà: *Un de ses textes* («Expériences sur l'usage du protoxyde, été 1843, et sur l'usage des liquides, été 1846»*) mériterait fort d'être connu.* Eh bien, on a ce texte!

—Ça alors... dit Emmy, hébétée. Et qu'est-ce qu'on y apprend?

—Des trucs sur des chats, entre autres.

—C'est quoi, le rapport?

Léo éclata de rire et lui passa des photocopies.

Expériences sur l'usage du protoxyde, été 1843, et sur l'usage des liquides, été 1846

PAR FAUBERT D'IMBEAULT, CHIRURGIEN

Introduction

Au début du printemps 1843, j'installai un modeste laboratoire de chimie près de ma résidence de la Grosse-Île, à l'écart des curieux et des hôpitaux afin de ne pas causer d'émanations néfastes pour les malades. Après moult expériences, je réussis enfin à isoler l'oxygène de l'air. Grâce à la manipulation d'acide et de limaille de fer, j'obtins un nouveau gaz. Je venais de recréer, dans mes propres flacons de verre, ce que mes prédécesseurs avaient nommé l'oxyde d'azote. Mes procédés d'alchimie me permirent bien vite d'en expérimenter les dérivés. Trois années plus tard, en 1846, j'allai faire l'expérience prometteuse des vapeurs de liquide ETH et de leurs effets sur l'insensibilisation du corps au moment des chirurgies. Voici le récit de mes expériences.

L'EXPÉRIENCE DU CHAT QUI RIAIT, ÉTÉ 1843

En 1843, au cours de mes manipulations chimiques, j'inspirai par malchance une forte quantité de protoxyde qui chavira mes esprits et me donna l'impression d'être sur un navire en pleine tempête et de couler comme un gros âne mort jusqu'au fond des flots. Lorsque je me réveillai, je pris conscience que j'étais tombé sur le sol et que mon front ensanglanté s'était heurté à une cruche en verre. Celle-ci s'était brisée, et ses morceaux s'étaient incrustés dans ma chair tels des diamants dans une purée de pommes de terre.

Or, je n'avais ressenti aucune douleur, le gaz semblant avoir insensibilisé tous mes sens. Ma mission fut alors claire : étudier l'effet de ces nouveaux gaz pendant les opérations chirurgicales.

Première expérience

J'optai pour un terrain d'étude que ma collaboratrice, l'infirmière-chef Ada Duriot, put m'obtenir sans dommage : un chat sans nom âgé de huit semaines, souffrant d'une infection due à une grosse épine logée dans sa patte arrière droite. Je baptisai l'animal Toffee en raison de la couleur caramel de son pelage court.

Le sujet Toffee fut soumis à quatre inhalations de protoxyde par ballonnet de soie. Le félin, que je crus tout d'abord en état critique d'affaiblissement, émit un ronronnement. Il se détendit tant et si bien qu'on le pensa mort. C'est alors que le sujet eut un rictus. Sa mâchoire se déforma étrangement et sa bouche forma une demi-lune que j'eusse nommée « sourire » si je n'eus été sain d'esprit. Un hoquet sonore et aigu semblable à un rire démoniaque sortit de sa gueule, puis ce fut le silence. Lorsque j'ôtai l'épine de la chair infectée avec mon scalpel, le petit corps ne réagit pas. Constatant son bon pouls, nous laissâmes Toffee sur la table d'opération, en observation.

Après une heure de sommeil, le sujet revint à son état de normalité féline. Il sortit du laboratoire en boitant un peu et partit dans les champs taquiner les papillons. Un examen médical révéla que le sujet en pleine santé n'avait gardé aucune séquelle de l'expérience.

Seconde expérience

Quelques semaines après l'expérience de Toffee, le chat qui riait, je pris conscience de l'importance de ma découverte et décidai, afin de mieux comprendre les effets de l'inhalation de ce gaz, de les expérimenter sur ma propre personne. Ada Duriot, fidèle collaboratrice, accepta de veiller, en mon nom, au bon déroulement des opérations.

Je suivis donc le protocole qui avait été choisi avec succès pour le sujet Toffee. On m'attacha à l'aide de lanières de cuir et j'inhalai quatre fois du protoxyde. N'obtenant aucun résultat, je décidai de doubler le dosage. Quelques minutes passèrent, puis je me mis à glousser d'un rire terrifiant et macabre. Je m'agitai, proférai des obscénités comme un marin ivre, puis tombai sans connaissance. Ma collaboratrice profita de ce moment d'absence singulière pour ôter une grosse verrue localisée sur mon pouce gauche. Je me réveillai deux heures plus tard, hagard et la bouche baveuse, mais sans souvenir aucun de l'opération.

L'EXPÉRIENCE DU CHAT QUI DORMAIT TROP, ÉTÉ 1846

En 1846, après la disparition du sujet Toffee, retrouvé pendu à un arbre, et la mort d'une patiente fort malade du typhus, je décidai dans le plus grand secret, et au déplaisir des ignorants qui nomment assassins les ennemis de la souffrance, de me consacrer à d'autres expériences majeures. J'entrepris ainsi d'étudier les vapeurs d'un liquide, l'ETH, et leurs effets sur la douleur chirurgicale.

Première expérience

On me fit porter, à mon laboratoire, un chat âgé de six mois, à la dentition en très mauvais état. Ayant remarqué l'affection peu pratique qu'Ada Duriot et moi-même avions fini par porter au sujet Toffee, je baptisai simplement ce sujet (a).

Le sujet (a) prit deux inhalations par ballonnet de soie, qui le plongèrent dans un état léthargique complet. L'infirmière et moi-même procédâmes aussitôt à la chirurgie dentaire, profitant de l'absence de réaction et de douleur visible chez le sujet, dont le petit corps présentait une mollesse surprenante. Ne parvenant pas à réveiller le sujet (a) après une heure de sommeil et ne percevant nulle trace de son pouls, nous le crûmes mort et le plaçâmes dans une caissette en bois.

Le lendemain, alors que je travaillais à la préparation d'une intervention chirurgicale délicate, je surpris le bruit d'un grattement fort étrange provenant de la boîte. En l'ouvrant, je découvris avec bonheur que le chat se rétablissait d'un sommeil de quinze heures.

Seconde expérience

Après l'expérience triomphante du chat qui dormait trop, je voulus appliquer mon procédé à un cas humain. Je décidai d'étudier l'effet de l'inhalation des vapeurs de liquides sur un homme dans la vingtaine, atteint de la variole, dont les lésions nombreuses, profondes et purulentes étaient très souffrantes.

Après six inhalations, le sujet plongea dans un état d'abandon absolu. Je procédai alors à l'ablation de plusieurs grosses tumeurs recouvrant son épiderme. L'opération fut un tel succès que j'hésitai à croire aux conclusions, pensant que j'avais pu inhaler par imprudence quelques vapeurs et altérer, par le fait même, mon jugement scientifique.

L'homme se réveilla après dix longues heures de sommeil. Malgré un fort mal de tête, il affirma n'avoir aucun souvenir de l'opération et n'avoir ressenti aucune douleur. Quoi qu'on pût en dire, la mort de ce malade constatée deux jours après la chirurgie ne fut pas imputable à mon procédé d'endormissement, mais assurément à la malpropreté de ses draps contaminés par le virus.

Enseignements

Le résultat de ces expériences me laisse croire qu'il faut poursuivre ces recherches capitales sur l'endormissement des souffrances opératoires, même si elles doivent m'attirer les suspicions les plus folles de la part de ceux qui les ignorent encore. Je me dois de tirer tous les enseignements possibles de l'usage du protoxyde et des vapeurs de liquides, usage qui semble provoquer une insensibilité chez le malade. Dans la poursuite nécessaire de mes travaux, je souhaite que Dieu me prête suffisamment de temps pour parfaire mes connaissances et découvrir les dosages appropriés en vue du soulagement des grandes douleurs. Je prie également pour qu'aucune mauvaise interprétation ne vienne ternir l'image de la médecine ni freiner l'avancement de mes progrès.

Emmy s'était concentrée sur la lecture de ce document précieux. Enfin, le chirurgien leur faisait part de ses travaux secrets et mystérieux !

— Je ne sais pas si je comprends bien, avoua-t-elle.

— Il s'agit des premiers essais d'anesthésie avant des opérations chirurgicales, répondit Félix. David nous a expliqué que ces travaux, qui paraissent loufoques, sont l'œuvre d'un vrai pionnier.

— Qu'est-ce que tu veux dire ?

— Cet article scientifique prouve que Faubert a découvert les effets antidouleur du gaz hilarant en 1843, précisa Léo, alors que, dans tous les livres, on affirme que cette découverte est attribuée à un certain Wells, en 1844 !

— En plus, ajouta son frère, Faubert raconte comment il a anesthésié des malades en utilisant l'éther avant de les opérer. Il l'a fait durant l'été 1846 mais, dans les encyclopédies médicales, on dit que la première expérience du genre a été menée à l'automne 1846 par un dentiste de Boston !

— Ça alors... murmura Emmy, abasourdie.

Fébrile, Léo poursuivit ses explications :

— David nous a expliqué que si ce texte a été publié beaucoup plus tard, c'est sans doute parce que la description des chats était trop bizarre. Et puis tout ça aurait pu être inventé. Maintenant, on a des preuves que ces expériences ont vraiment eu lieu.

— Les découvertes de Faubert d'Imbeault étaient donc bel et bien révolutionnaires ! s'exclama Emmy.

—C'est ta grand-tante qui va être surprise!

—Mais on ne sait toujours pas à quoi Faubert travaillait exactement au moment de sa mort, en 1847, constata Félix. Peut-être qu'il était en train de mettre au point ses dosages ou un autre procédé d'anesthésie...

—Qu'est-ce que votre prof en pense? demanda Emmy.

—Selon lui, le chirurgien a rencontré de gros obstacles, répondit Félix en consultant de nouveau leurs notes. Dans son texte, Faubert parle des «curieux», des «émanations», de «suspicions», de «mauvaise interprétation», du «secret» dans lequel il travaillait... Toffee, le chat qu'il aimait bien et sur lequel il menait son expérimentation, a été retrouvé pendu à un arbre! Faubert dit même qu'on l'a accusé d'avoir tué un malade! David croit qu'il s'est découragé, comme la plupart des chercheurs qui faisaient des expériences dans le domaine de l'anesthésie. Il nous a expliqué qu'on les traitait facilement de sorciers et qu'on brûlait parfois leurs laboratoires! Mais, en relisant ces expériences bizarres, j'ai pensé à autre chose, à une autre hypothèse.

—Ah bon? fit Léo, surpris. Laquelle?

—Par accident ou en se prenant pour un cobaye pendant une expérience, Faubert aurait très bien pu respirer les vapeurs d'un produit chimique qui l'aurait rendu fou furieux. Il aurait perdu la raison et se serait poignardé à mort.

—Oui, c'est plausible.

—Mais atroce! s'exclama Emmy.

8 . . . . LE BLOC

Le jour du second départ arriva enfin. Félix, Léo et Emmy s'embarquèrent de nouveau pour l'île de la quarantaine le vendredi matin. Malgré l'annonce d'un orage en fin d'après-midi, le temps était splendide. Une cinquantaine de touristes prenaient part à ce voyage. Les adolescents portaient des habits chauds et un sac à dos qui contenait leurs effets personnels et des gâteries en prévision de leur séjour prolongé à la Grosse-Île.

—On n'a toujours rien trouvé sur Basile d'Imbeault, déplora Félix à voix basse.

—Et on ignore toujours les circonstances qui ont entouré la mort horrible de son père, ajouta Emmy.

—C'est peut-être un accident, une expérience qui a mal tourné, un suicide ou un meurtre. Rien de moins! Si cet événement ne s'était pas produit sur cette île en pleine épidémie de typhus, il y aurait certainement eu une enquête pour connaître la cause de sa mort, comme dans les films policiers.

—On ne saura sans doute jamais ce qui s'est réellement passé près de la pharmacie ce soir-là, ajouta Léo d'une voix grave.

Emmy frémit en entendant ces paroles, qui lui rappelaient le cauchemar terrifiant qu'elle avait fait la nuit précédente. Dans son rêve, elle avait reconnu les yeux clairs d'Ada Duriot et l'atroce salle rouge du lazaret. Des malades hurlaient leur souffrance en déambulant dans la nuit froide de la Grosse-Île. Elle avait écouté sa grand-tante Lisette discuter avec Faubert, dont le visage était blême et sans vie. Elle l'avait vue écrire avec une plume sur les lambeaux de chair ensanglantés qui se détachaient du corps du chirurgien. Elle s'était réveillée en sueur lorsque Lisette avait proposé de mener une expérience sur Léo consistant à lui faire respirer des vapeurs afin de lui trancher la tête!

Emmy regarda ses amis, qui semblaient détendus et plongés dans leurs pensées. Elle poussa un gros soupir. Dès le premier jour de cette aventure, elle s'était sentie en sécurité à leurs côtés, malgré le fait qu'ils ne paraissaient pas toujours s'intéresser à cette histoire pour les mêmes raisons qu'elle... Elle avait l'impression que Félix était surtout attiré par le défi intellectuel que représentait cette énigme à résoudre, alors que son frère cherchait surtout à se faire peur! Cela n'avait aucune importance. Sans eux, jamais elle n'aurait mis les pieds sur cette île maudite...

—On a tout de même fait une belle découverte, murmura-t-elle. Faubert était un pionnier de l'anesthésie. Grâce à nous, son nom entrera enfin dans l'histoire de la médecine!

—On devrait profiter de notre séjour à la Grosse-Île pour parler à l'étudiante, proposa Léo, un sourire en coin.

On pourra la renseigner sur les travaux de Faubert. Cette Martine verra de quoi on est capables.

—Je vais réexaminer les noms sur le monument commémoratif, dit Félix. Et puis, il faudrait localiser le laboratoire de Faubert et les principaux bâtiments qui existaient en 1847.

—Je me renseignerai pour savoir s'il y a encore des chats ici plaisanta Emmy. Si je trouve les descendants de Toffee, je les interrogerai sous hypnose.

—Bonne idée mais, avant d'essayer ta technique sur de pauvres chats qui ne t'ont rien fait, tu devrais l'expérimenter sur ta grand-tante! s'esclaffa Léo.

Emmy feignit d'être choquée, avant d'éclater de rire à son tour. Cette chère Lisette… Elle allait devoir, tôt ou tard, réviser ses jugements au sujet du chirurgien.

Le bateau accosta enfin le quai. Au bout de la passerelle, prêts à accueillir les touristes, se tenaient Isabelle et Robin. La jeune guide entama aussitôt son discours habituel à l'intention des visiteurs.

—Bienvenue à la Grosse-Île, lieu historique national du Canada! Sur ce bout de terre d'une superficie…

Tandis qu'Isabelle répétait son propos en langue anglaise, Robin Villeneuve s'approcha d'eux.

—Salut, dit-il. Alors, on revient sur les lieux! Bon, on m'a chargé de veiller sur vous, mais je ne suis pas votre mère et je n'ai pas l'intention de vous surveiller. Évidemment, s'il y a un problème, vous vous adressez à moi tout de suite, compris?

—Oui, merci, répondit Félix.

—C'est moi qui vais vous mener jusqu'à votre chambre. Je dois faire une visite guidée auparavant. Je n'en ai pas pour très longtemps. On se retrouve à la cafétéria dans une heure. Ça vous va ?

—OK ! lança Léo tandis que Robin les quittait déjà.

De gros nuages gris envahissaient le ciel.

—On va se réchauffer et manger un morceau en attendant ? proposa Félix à l'adresse de son frère et d'Emmy, qui acquiescèrent.

Ils marchèrent en silence jusqu'à la cafétéria. Une délicieuse odeur de potage les accueillit dans la pièce commune. Léo et Emmy s'installèrent à une table et déposèrent leur sac. Quant à Félix, il alla directement au comptoir pour y choisir un sandwich. Avec son anorak brun, son gros bagage sur le dos, ses cheveux mi-longs et sa démarche un peu désarticulée, il ressemblait à une araignée géante.

—Une petite soupe avec ça ? lui demanda le cuisinier.

Félix aperçut l'homme vêtu d'un tablier blanc. Grand et maigre, âgé d'une cinquantaine d'années et coiffé d'un couvre-chef multicolore, il avait l'air sympathique et affichait un sourire rayonnant.

—Je m'appelle Jacques ; je suis le cuisinier du parc de la Grosse-Île, lui dit-il. Et toi, tu es l'un des trois jeunes en visite pour l'Action de grâce, n'est-ce pas ? On nous a prévenus de votre arrivée. Et puis il n'y a pas beaucoup de touristes qui portent des sacs à dos aussi gros que les vôtres !

Après leur avoir servi une bolée de crème de tomate, Jacques présenta les deux frères et leur amie à quelques membres du personnel demeurant à la Grosse-Île pendant la saison touristique. À cette table, il y avait son épouse, Sarah, et l'équipe des jardiniers composée de deux hommes dans la trentaine, Réjean et Sylvain, d'une femme âgée aux allures un peu fofolles, Jeannette Morency, et de Peter McFarrell, un vieillard chenu à la carrure imposante, tous deux des bénévoles entretenant les fleurs et les arbustes dans le secteur ouest de l'île. Auprès d'eux se trouvait un homme dans la cinquantaine à l'air taciturne et au visage marqué par de profondes rides. C'était le docteur Henri Pilon, un médecin à la retraite assurant les premiers soins du personnel et des visiteurs du parc.

— Qu'êtes-vous venus faire à la Grosse-Île, si ce n'est pas trop indiscret ? demanda le docteur aux trois jeunes.

Léo se souvint de ce qu'ils avaient convenu de dire afin de justifier leur séjour de façon simple.

— Mon frère doit réaliser pour l'école un travail sur le fonctionnement de la station de quarantaine. Il doit visiter les installations et noter un maximum de détails. On l'a accompagné.

— Vous en avez, de la chance ! À votre âge, nous n'avions pas autant de moyens pour faire nos devoirs.

— Est-ce que Martine Frenette est encore ici ? s'informa Félix alors que Robin les rejoignait.

— Bien sûr, répondit Jacques. Mais plus pour très long-temps, comme nous tous d'ailleurs. La saison s'achève. Le parc fermera ses portes en fin de semaine, vous le savez.

— Martine est une solitaire, remarqua Peter, le jardinier aux cheveux blancs.

— En effet, renchérit Jeannette. Il ne faut pas vous étonner de ne pas la trouver parmi nous au moment des repas. Je crois qu'elle préfère manger un sandwich sur le pouce et s'avancer dans son travail.

***

La baie du Choléra s'étendait à la limite des secteurs ouest et centre de la Grosse-Île. Bordée par une forêt de sapins et de feuillus au nord et par des rochers acérés au sud, l'anse abritait un marais herbu ainsi qu'une plage aux allures de terrain vague. Le Bloc d'en haut, un long bâtiment blanc de trois étages, surplombait les restes d'un vieux cimetière. Sous les airs de tempête qu'affichait le ciel, l'endroit était sinistre.

Au premier étage du bâtiment étaient situées les chambres du personnel résidant. Les deux autres étages étaient réservés aux hôtes de passage et aux bénévoles. C'est d'ailleurs au dernier étage que se trouvait la chambre allouée aux adolescents. Il s'agissait en fait d'un mini-dortoir de six lits. Entre chaque lit, il y avait une patère en fer, un lavabo en émail blanc ainsi qu'un petit coffre-fort qui permettait de protéger les objets de valeur des curieux et des voleurs. Si les chambres et les appartements du premier étage étaient fermés à clef, il n'en était rien des dortoirs des paliers supérieurs. Quant aux douches et aux toilettes, elles se trouvaient à l'extrémité du long couloir, dont les murs lézardés semblaient sur le point de s'écrouler.

Robin remit deux clefs à Félix. L'une permettait d'accéder au Bloc depuis l'extérieur, l'autre, aux étages supérieurs.

—Cet endroit me donne des frissons, déclara Léo après que Robin les eut laissés seuls dans leur dortoir. Je ne suis pourtant pas du genre mauviette.

—Je suis du genre mauviette, précisa Emmy. Et je ne suis pas rassurée du tout!

—Qu'est-ce qui vous prend, tous les deux? s'exclama Félix en posant son sac à dos sur l'un des lits.

—Rien, répondit Léo, sauf qu'on va dormir dans un dortoir pouilleux qui sent la vieille momie, dans la baie du Choléra! Et qu'on est prisonniers d'une île minuscule où un crime horrible a peut-être été commis et où sont enterrés des milliers de cadavres!

—Des cadavres de gens qui sont morts de maladies terribles et contagieuses, ajouta Emmy d'une voix chancelante. Comme la variole, le typhus, le choléra. Imaginez toutes les bactéries et toutes les...

—Chut! la coupa Félix, qui paraissait soudain affolé. Taisez-vous! J'ai entendu du bruit.

Inquiets, Léo et Emmy tendirent l'oreille. La pluie tambourinait sur la vitre de l'unique fenêtre de leur chambre.

—Ça alors, c'est bizarre... reprit Félix.

—Quoi? fit son frère, anxieux.

— Non, rien.

— Arrête et dis-moi tout de suite ce qui se passe !

— J'ai cru entendre des hurlements. Des cris horribles poussés par une femme, au loin. Je crois qu'elle appelait au secours. Elle hurlait : « Laissez mon ventre ! Laissez mon ventre ! » et semblait avoir très mal... Comme si un chirurgien tentait de l'opérer sans l'avoir anesthésiée.

Il fallut trois secondes à Emmy et à Léo pour saisir la plaisanterie de Félix. Puis ils se ruèrent sur lui, tels des chiens enragés.

9 . . . . LES PUSTULES

Après s'être remis de leurs émotions et installés dans leurs nouveaux quartiers, les adolescents quittèrent leur dortoir et reprirent l'exploration de l'île là où ils l'avaient interrompue trois semaines auparavant.

Léo mena le cortège d'un pas décidé, suivi d'Emmy et de Félix. Ils longèrent la baie du Choléra en direction du cimetière des Irlandais. Les marais sentaient la vase, et de nombreux canards s'abritaient entre les joncs. Au loin, derrière les buissons, on distinguait les crevasses herbeuses et macabres des anciennes fosses communes. Le ciel était aussi noir que du charbon.

Les jeunes poursuivaient leur chemin lorsque le ciel se zébra d'éclairs ahurissants. Une déflagration se fit entendre, comme si un géant venait de déchirer l'île d'un coup de dent vorace.

—Ah non ! s'exclama Léo. Pas de la pluie...

—Il faut s'abriter ! hurla Félix en rajustant le capuchon de son anorak.

— On devrait aller à la cafétéria, proposa son frère. Viens-tu, Emmy?

La jeune fille s'était arrêtée pour s'accoter à un tronc d'arbre.

— Tu as un drôle d'air, ajouta Léo.

— Je ne me sens pas très bien, répondit-elle d'un ton las. J'ai froid et un peu mal au ventre. Je crois que j'ai de la fièvre.

— Tu as peut-être attrapé un rhume ou la grippe, dit Félix, désolé. Allons nous réchauffer. À la cafétéria, vite! La foudre pourrait nous tomber dessus!

Ils traversèrent le cimetière en courant et s'engagèrent sur le sentier qui passait par les bois et menait à la Croix celtique. Des torrents d'eau de pluie dévalaient la pente, se frayant un chemin entre les rochers et les racines des arbres.

Attablés au fond de la cafétéria, Réjean et Jeannette sirotaient une tasse de café en attendant l'accalmie qui leur permettrait de poursuivre leurs travaux extérieurs. Les trois adolescents s'installèrent non loin d'eux.

— Sale temps, hein? leur lança Réjean.

— Qu'as-tu, mon enfant? demanda Jeannette à Emmy, qui se grattait le front avec l'énergie du désespoir. Qu'est-ce que c'est, toutes ces pustules sur ta peau?

— Des pustules? répéta Emmy, affolée.

— J'en ai bien peur...

Jeannette affichait une grimace de dégoût. Après avoir ôté leurs habits détrempés, les deux frères découvrirent enfin le visage d'Emmy, qui avait enlevé sa capuche. Léo ne put retenir sa surprise :

—Beurk ! Mais qu'est-ce que c'est que ça ?

La figure de la jeune fille était d'une pâleur cadavérique. Son front était couvert de cloques rougeâtres semblables à des brûlures. Paniquée par le regard que lui renvoyaient ses amis, Emmy courut jusqu'à la salle de bains. Elle revint après quelques minutes seulement, les yeux pleins d'eau.

—J'en ai sur tout le corps ! gémit-elle. C'est atroce !

—Voyons... murmura Félix, qui ne voulait pas se montrer trop effrayé.

—Je suis sûre que j'ai attrapé l'une de ces horribles maladies ! Ce doit être pendant la visite de l'édifice de désinfection, dans les douches, l'autre jour. Ou dans ce dortoir sinistre. Ou dans l'affreuse salle rouge du lazaret. Mon Dieu ! J'ai attrapé la variole ! Souvenez-vous de ce que Robin nous a raconté : une fièvre élevée, des maux de tête, des douleurs abdominales, des pustules... C'est exactement ce que j'ai ! C'est horrible ! J'ai attrapé la variole ! J'ai attrapé la variole !

—Quelle saleté d'île... renchérit Léo, gagné par la panique.

—C'est impossible ! l'interrompit Félix. Il ne peut pas s'agir de la variole. Cette maladie n'existe plus dans notre pays, rappelez-vous.

— Tu as tout à fait raison, dit Jeannette, presque amusée. Il ne peut pas s'agir de...

— Les lésions atteignent tous les organes du corps humain! poursuivit Emmy. Elles laissent de grosses cicatrices et causent la mort! Je vais mourir!

— Arrête de délirer, Emmy!

Félix lui avait parlé avec autorité. Ils restèrent silencieux un instant, puis Réjean se leva.

— Je vais chercher le docteur Pilon!

***

Il ne fallut que quelques minutes au médecin pour établir un diagnostic ferme:

— Tu as la varicelle, Emmy. Et il n'y a vraiment pas de quoi paniquer. Je vais appeler le bateau-taxi, qui te ramènera sur le rivage. Je t'accompagnerai. Préviens ta famille pour qu'elle vienne te chercher à ton arrivée. Une fois chez toi, tu te reposeras. Évidemment, tu devras être suivie par ton médecin de famille. Les complications sont rares, mais il faut être prudent.

— Mais comment est-ce que j'ai pu l'attraper? demanda Emmy, fâchée.

Si ses craintes s'étaient dissipées, elle n'en était pas moins en colère.

— Au contact d'une personne infectée, il y a deux ou trois semaines. Le risque de contagion est à son maximum

avant l'éruption des boutons. Il y a donc une forte proba-
bilité que tu ne sois plus contagieuse. Est-ce que tes amis
ont déjà contracté cette maladie ?

Léo et Félix acquiescèrent d'un signe de la tête, imités
par Jeannette et Réjean.

— C'est nul, soupira Emmy, au comble de la déception.

— Nous repartons avec toi, lui dit Léo.

— Il n'en est pas question ! s'exclama la jeune fille
avec force. Vous devez rester et continuer de chercher.
Je veux dire, tu dois aider Félix dans ses recherches, qui
sont loin d'être terminées. Je ne veux pas tout gâcher.
Et puis ça ne servirait à rien de m'accompagner jusque
chez moi...

Les deux frères n'avaient pas besoin de se parler pour
se comprendre. Leur amie avait raison. Cette expédition
ne servirait plus à rien s'ils abandonnaient maintenant.
Ils n'avaient pas d'autre choix que de rester, avec ou
sans Emmy. Sinon, ils devraient reporter leur projet
à l'année suivante. Léo tenta de remonter le moral
d'Emmy.

— Il faut voir le bon côté des choses. Ce qui est super,
c'est que tu n'auras pas à dormir dans le dortoir pouilleux
de la baie du Choléra.

— Votre chambre ne vous plaît pas ? intervint le docteur
Pilon sur un ton sec.

— Non, ce n'est pas ça, répondit Léo, le visage cramoisi.
C'est juste que...

— Que cet hébergement ne convienne pas aux enfants gâtés que vous êtes ne me surprend pas le moins du monde ! déclara Henri Pilon.

***

Emmy quitta l'île vers dix-sept heures, accompagnée du médecin peu sympathique. Léo et Félix restèrent un bon moment sous la pluie battante, à contempler le bateau-taxi qui s'éloignait du rivage de la Grosse-Île. Emmy leur manquerait...

Les deux frères paraissaient égarés. Ils devraient désormais poursuivre seuls cette étrange aventure qu'Emmy avait amorcée en traversant la rue pour venir frapper à leur porte, un certain samedi de septembre... Sans s'en apercevoir, ils s'étaient attachés à cette fille. Elle n'était pas comme les autres. Elle n'avait pas brisé leur relation ni cherché à envahir leur bulle. Au contraire, sa présence avait étrangement resserré les liens qui unissaient Léo et Félix.

Moroses, ceux-ci finirent par rejoindre les autres, à la cafétéria.

Une fois allongée sous la couette de son lit douillet, à Québec, Emmy avait contacté Félix sur son cellulaire, lui faisant promettre de lui téléphoner souvent. Son brusque départ fut au cœur des conversations ce soir-là.

Jacques avait mitonné une soupe aux pois, du riz et du poulet grillé. Félix et Léo avaient été invités à s'asseoir à sa table, que partageait aussi Martine Frenette. À voir son visage lorsqu'elle avait fait son entrée dans la cafétéria, la jeune femme avait été plus que surprise par la présence des deux frères. Elle s'était assise en les saluant et n'avait plus prononcé un seul mot.

— Pauvre Emmy, soupira Léo en croquant dans un bout de pain. Je la revois en train de crier: «J'ai attrapé la variole!»

En imitant leur amie, Léo avait pris une voix fluette qui ne manqua pas de faire sourire les convives.

— J'avais presque fini par la croire, reprit-il. C'est débile comme on peut croire n'importe quoi lorsqu'on panique.

— Effectivement, marmonna Henri Pilon.

— C'est drôle que l'infection de votre copine se soit déclarée ici, à la Grosse-Île, alors que tant de maladies y ont été diagnostiquées et soignées, remarqua Jacques en vidant son bol de soupe.

— Je ne vois vraiment pas ce qu'il y a de drôle! rétorqua Martine d'un ton cassant.

Jacques jeta un regard noir vers la jeune femme, qui ne le remarqua pas. Puis il adressa un clin d'œil à Félix et à Peter. Ce dernier leva les yeux au ciel et ne parut nullement étonné par la réaction de Martine.

— Vous devez avoir amassé pas mal de documents pour la rédaction de votre mémoire sur l'épidémie de choléra, lui dit Félix, qui venait d'avoir une idée.

— Un bon nombre, en effet, répondit Martine.

—Quels genres de documents? Des livres, des journaux de bord, des lettres, des articles de presse, des revues scientifiques?

—Un peu de tout cela.

—Est-ce que vous accepteriez qu'on y jette un œil, mon frère et moi? Pour mon travail d'école, je cherche des renseignements précis concernant le fonctionnement de la station de quarantaine. On a d'ailleurs de l'information importante et inédite qui vous intéressera sûrement.

—Pardon? dit-elle, éberluée.

—Est-ce que vous accepteriez qu'on...

—Et quelle réponse vais-je vous donner, à votre avis?

Surpris, Félix détourna les yeux et fixa son frère, qui avait cessé de manger. Il avait souhaité faire une sorte d'échange de données avec Martine et avait hâte de lui montrer leurs trouvailles à propos du pionnier de l'anesthésie. Manifestement, l'idée était grotesque. Martine le fusillait du regard:

—Et pour qui penses-tu que je fais ce travail de cueillette de données? Pour tes beaux yeux bleus, peut-être? Pour amuser des ados en mal d'émotions fortes? Vous devrez attendre que je dépose mon mémoire pour connaître ces documents!

10 . . . . LA BONNE IDÉE

—Martine ne t'a pas manqué, fulmina Léo alors qu'il arpentait avec son frère le sentier qui menait au Bloc d'en haut. Quelle prétentieuse !

Deux lampadaires éclairaient le chemin. Secoué par le vent, le feuillage des saules dessinait des ombres menaçantes sur les croix blanches du vieux cimetière. La pluie n'avait pas cessé, tambourinant à la surface des flots de la baie du Choléra dans un fracas étourdissant.

Léo était inquiet du silence de son frère qui perdurait depuis qu'ils avaient quitté la cafétéria.

—À quoi penses-tu, Félix ?

—À la fin du repas, Martine nous a dit qu'elle irait photographier l'emplacement des anciens bâtiments militaires près du rivage, demain matin. Tu t'en souviens ?

—Oui. Ça m'a fait rigoler, si tu veux savoir. D'abord, elle nous aboie dessus comme un chien enragé ; ensuite, elle nous raconte sa vie ! C'est vraiment une drôle de fille.

—Ça m'a donné une bonne idée. Pendant qu'elle jouera au photographe, tu la suivras discrètement.

—Et toi, qu'est-ce que tu feras pendant ce temps-là?

—J'irai consulter les documents qu'elle garde dans sa chambre.

—Quoi? Mais tu es malade? Et tu ne sais même pas où est sa chambre!

—Je la trouverai. Cette fille est sûrement installée aux étages supérieurs du Bloc, puisque c'est là qu'on loge les invités. S'il n'y a rien dans sa chambre, tant pis. Ça vaut la peine d'essayer, non? Sais-tu combien de temps il va lui falloir pour finir son mémoire? On ne va pas attendre le retour des dinosaures sur terre! Autant être fixés dès maintenant sur la documentation qu'elle possède. Et puis, je ne ferai rien d'illégal. Je jetterai juste un œil sur ce qu'elle aura laissé à la vue de tout le monde.

—À la vue de tout le monde qui rentre dans sa chambre... compléta Léo.

Il s'était arrêté au milieu du sentier, insensible à la pluie froide qui dégoulinait sur son front.

—Tu parles! Félix et Léo Valois, experts en vol de documents.

—Je ne volerai rien du tout! protesta Félix. Si on me surprend, je dirai que je suis venu lui donner nos photocopies sur les travaux de Faubert. Il faut qu'on sache si elle possède des renseignements sur l'équipe du docteur Finch. Peut-être qu'elle a le journal de Théodèle Vauthier, qui sait? Si c'est le cas, on pourra la mettre en contact avec la grand-tante d'Emmy.

— Ce serait super, je n'y avais pas pensé. Emmy serait contente, mais...

— Mais quoi?

— Cette Martine me fait un peu peur. Je ne sais pas si c'est une bonne idée.

— Voyons! Toi qui aimes fouiner dans tous les recoins!

— Là, ce n'est pas pareil.

— On ne risque rien à aller dans sa caverne d'Ali Baba. Et puis, Emmy compte sur nous pour trouver quelque chose!

La tempête de pluie faisait toujours rage lorsque les frères regagnèrent leur couchette rustique. Quelques minutes après avoir franchi la porte de leur dortoir, qui était encore plus lugubre qu'en plein jour, ils reçurent une brève visite de Robin qui venait s'assurer que tout allait bien, malgré le départ imprévu de leur amie.

Après que le guide rassuré les eut quittés, Léo regarda avec tristesse la couverture du lit d'Emmy. Elle était demeurée froissée par le sac à dos que la jeune fille y avait déposé plus tôt, avant l'éruption des pustules sur sa peau claire... Ni les bourrasques qui s'abattaient sur le toit du vieux bâtiment ni le hululement d'un hibou dans la forêt voisine ne parvinrent à chasser de son esprit le souvenir des propos brutaux de Martine et du docteur Pilon. Pour cette première nuit passée dans la baie du Choléra, Léo se préparait aux cauchemars les plus sinistres.

***

Le lendemain matin, après avoir avalé quelques bis-cuits au chocolat que Félix avait judicieusement emportés dans son sac, les deux frères mirent leur plan à exécution.

Ils observèrent avec discrétion les allées et venues des résidants du Bloc d'en haut à travers la fenêtre de leur dortoir. Très tôt, ils virent sortir du bâtiment Jacques et son épouse, les guides, les jardiniers et presque tout le personnel. La veille, Félix avait entendu Robin préciser que le docteur Pilon résidait dans l'ancienne maison du médecin bactériologiste, près du rivage.

Martine n'avait toujours pas montré le bout de son nez. Elle bénéficiait peut-être d'un traitement de faveur et s'était installée dans un lieu plus propice à l'étude.

Il était près de onze heures. Léo et Félix s'impatien-taient. La pluie avait cessé. Les eaux du fleuve s'agitaient sous un ciel couvert de nuages semblables à de la ouate. Les bateaux transportant les touristes en visite pour la journée de samedi ne tarderaient pas à accoster la Grosse-Île. Encore quelques minutes d'attente et Félix annonce-rait à son frère qu'il renonçait à son projet.

— Bingo! s'exclama-t-il en voyant sortir Martine. Notre photographe se met enfin à l'ouvrage!

Vêtue d'une veste et d'un pantalon noirs, chaussée de ses bottes à talons, Martine marchait d'un pas pressé. Elle portait en bandoulière un sac en cuir plat duquel dépassait ce qui ressemblait à un manche de parapluie.

— À toi de jouer, Léo!

Celui-ci se hâta de quitter le dortoir. Leur plan était simple. Léo devait filer la jeune femme pendant sa séance de photographie. Aussitôt que celle-ci reprendrait le chemin du Bloc d'en haut, il préviendrait Félix en l'appelant sur son cellulaire, puisqu'ils en possédaient chacun un pour rassurer leurs grands-parents. Félix, quant à lui, n'avait qu'un seul objectif : examiner rapidement la chambre de Martine.

Félix attendit un instant près de la fenêtre, le temps de voir son frère s'éloigner du bâtiment. Léo lui lança un coup d'œil furtif et commença sa filature. Félix pouvait désormais amorcer son inspection.

Il débuta au troisième étage, où se trouvait leur chambre. La tournée fut rapide car, à l'exception du leur, aucun dortoir n'était occupé. Depuis leur arrivée, ils n'avaient pas entendu de bruit ni croisé Martine aux abords du bloc sanitaire. Il aurait été donc surprenant qu'elle logeât au même étage qu'eux.

Félix descendit au niveau inférieur. Les lieux semblaient déserts. Il vérifia le bon fonctionnement de son cellulaire puis pénétra dans les premiers dortoirs, tous inoccupés. Il s'apprêtait à refermer la porte du sixième lorsqu'il aperçut un tas de vêtements posés sur l'un des lavabos. Une valise avait été glissée sous un lit. Félix examina les affaires de plus près. Cette chambre n'était pas celle de Martine Frenette, comme en témoignait une photographie montrant Jeannette avec un joli petit chien blanc.

Dans le dortoir suivant, il remarqua les affaires personnelles de Peter. Des journaux et des magazines traitant d'arboriculture jonchaient la surface de deux des lits. Il se hâta de quitter les lieux.

Félix poursuivit son examen jusqu'à l'avant-dernier dortoir. Ici, deux bureaux avaient été poussés contre le mur, près de la fenêtre. Des habits pliés avec soin étaient empilés sur l'un des lits, près d'une valise. Le cœur battant, Félix reconnut l'étoffe rose du chandail que Martine avait porté la veille. Hourra ! Il se trouvait dans la bonne chambre ! Il fallait agir vite.

Les bureaux dévoilèrent peu de chose : un paquet de feuilles blanches, des stylos, un dictionnaire, le plan de la Grosse-Île et deux pochettes en carton orange. L'une, sur laquelle on avait inscrit « Annexes », contenait quelques feuillets sans intérêt ; la seconde, intitulée « Mémoire », était vide, au grand malheur du garçon.

Félix chercha du regard, espérant trouver d'autres documents. Lorsqu'il se pencha pour voir sous le lit de métal adjacent, il comprit aussitôt. Une mallette en cuir noir, pareille à celles dans lesquelles on transporte les ordinateurs portables, était attachée à une mallette plus grosse par une chaîne et un cadenas fixés à l'un des montants robustes du lit. Martine avait mis son matériel en sûreté, à l'abri des curieux.

Hélas, il n'y avait rien d'autre à voir !

Avant de quitter les lieux, Félix examina de nouveau les feuilles rassemblées sous la mention « Annexes », dans la pochette orange. Leur contenu était hétéroclite : un discours de la Chambre d'assemblée du Bas-Canada, la description d'une école de médecine, des tableaux de statistiques à en avoir la nausée et un extrait dactylographié sur les symptômes du choléra. Martine avait sans doute laissé ces photocopies au vu et au su de tout le monde parce qu'elles ne présentaient aucun intérêt pour le commun des mortels.

Il parcourut la dernière feuille en diagonale et changea aussitôt d'avis. Une surprise de taille l'y attendait! Son cœur se mit à battre la chamade et son visage s'éclaira d'un sourire rayonnant. Il rajusta ses lunettes et relut le texte avec plus d'attention.

—Ça, c'est fort, murmura-t-il, le souffle coupé.

Ce n'était peut-être pas un trésor pour le commun des mortels mais, pour Félix, c'était une trouvaille formidable!

Il eut une idée. Avant de la remettre à sa place, il lirait cette lettre à voix haute afin de l'enregistrer dans sa boîte vocale. Il pourrait ainsi partager son contenu précis avec son frère, plus tard. Il ouvrit son téléphone cellulaire, appuya sur l'une des touches et commença:

—Voici le texte que j'ai trouvé dans les affaires de Martine. C'est une lettre qu'une certaine Madeleine, infirmière à Montréal, a écrite à sa sœur Ada, le 28 avril 1843:

Ma belle Ada, ma chère petite sœur,

J'ai été très heureuse de recevoir de tes nouvelles. Je vois que l'ouvrage ne manque pas à la Grosse-Île! Je ne te cacherai pas qu'à l'Hôpital général de Montréal nous n'en manquons pas non plus. Mais c'est là notre lot, ma chère sœur, car, en tant qu'infirmières, notre tâche est bien celle de soulager les souffrances et de soigner les maux les plus terribles. Tel que tu me le demandes, j'ai retrouvé dans un rapport du Conseil médical la liste détaillée des symptômes du choléra : étourdissements, maux d'estomac, agitation du pouls, vomissements, diarrhée, contraction des traits, expression de terreur dans les yeux, décoloration des lèvres, du visage, du cou, des mains et des pieds, puis des hanches, des bras et de l'ensemble du corps (couleur foncée viola-cée), veines marquées de lignes noires, rétrécissement des doigts et des orteils, peau plissée, ongles perlés, froideur de la peau, humidité et blancheur de la langue, mutisme et spasmes. J'espère que cette liste te permettra d'œuvrer auprès des cholériques. Hélas ! notre Seigneur devra t'aider, car les remèdes sont rares. Il est question qu'ici, à Montréal, un refuge soit bientôt fondé par les sœurs de Notre-Dame de Charité du Bon-Pasteur d'Angers afin de recueillir les mères célibataires. À l'annonce de cette nouvelle, j'ai tant pensé à toi, ma chère petite sœur, qui as porté ce fils de docteur, ce petit George Finch si doux, si mignon, dont tu as dû te séparer à la naissance, il y a à peine un mois ! Toi si mélancolique, dont les grands yeux clairs ont tant besoin d'amour, comme ce petit être doit te manquer ! Je ne peux m'imaginer la douleur que cela doit être de voir chaque jour le père de ce poupon et de partager avec lui tant d'heures de labeur. Je sais que cet homme a bonne épouse et qu'il n'est pas ingrat à ton endroit. Tu ne peux cependant m'empêcher de te souhaiter des jours meilleurs. J'espère que l'arrivée de ce nouveau chirurgien au sein de l'équipe du docteur Finch vous soutiendra de belle façon dans votre travail auprès des malades.

Je t'embrasse affectueusement,

Ta grande sœur Madeleine qui t'aime et pense à toi

Fébrile, Félix vérifia le bon enregistrement de la lecture dans sa boîte vocale. S'il n'avait pas pu découvrir ce que Martine gardait dans ses mallettes, il ne revenait cependant pas bredouille de son inspection. Nul doute que ce texte leur permettrait de progresser dans leur enquête sur le mystère d'Imbeault.

Ainsi, Ada Duriot avait eu une sœur aînée, infirmière à Montréal, et un fils, George, né en 1843, dont le père n'était autre que le docteur Finch! Le chirurgien nouvellement arrivé dont parlait cette femme devait être Faubert d'Imbeault, car la date de cette lettre concordait avec l'année de son entrée en fonction à la Grosse-Île. L'histoire dont les deux frères reconstituaient patiemment la trame se révélait plus complexe que prévu.

Félix sortit subitement de ses pensées. Il venait de remarquer que son cellulaire affichait un signal lumineux. Était-ce le message qu'il avait lui-même laissé dans la boîte vocale? Non. Quelqu'un avait tenté de l'appeler pendant qu'il parlait dans le microphone de son téléphone. Il eut une mauvaise intuition qui, hélas! se confirma.

« Félix, c'est Léo. Mais qu'est-ce que tu fiches? Pourquoi tu ne réponds pas? Je t'appelle pour te dire que Martine vient de faire demi-tour et qu'elle se dirige vers le Bloc d'en haut. Je ne sais pas où tu es, mais ne reste pas dans sa chambre si tu t'y trouves! Donnons-nous rendez-vous dans une demi-heure dans le lazaret. Martine ne m'a pas vu, j'en suis sûr. À tout à l'heure. Sois prudent. »

Martine revenait dans sa chambre! Il fallait se hâter d'en sortir!

11 . . . . LE LAZARET

Félix se précipita vers la fenêtre du dortoir. Personne n'était en vue. Martine n'était pas encore arrivée, à moins qu'elle ne fût déjà entrée dans leur bâtiment. Tremblant, il remit les papiers en place sur les bureaux afin que rien ne pût trahir son passage. Puis il quitta les lieux au pas de course.

Il traversa les couloirs déserts et regagna vite leur dortoir. À bout de souffle, il se posta devant la fenêtre et aperçut Martine. Elle s'était arrêtée sur le chemin et rangeait un objet dans son sac en bandoulière.

Ouf! il venait d'éviter de justesse une confrontation bien déplaisante.

Ses craintes se dissipèrent pour de bon lorsqu'il vit qu'elle ne bifurquait pas en direction du Bloc et poursuivait sa route. Félix vérifia sa montre. Il était treize heures. Elle allait peut-être manger ou s'acheter un sandwich à la cafétéria. Quelle aubaine! Il pourrait partir sans risquer de la croiser. Il enfila son anorak et glissa son téléphone dans l'une de ses poches. Léo devait l'attendre près du lazaret. Il était impatient de lui faire part de sa découverte!

Félix sortit du Bloc d'en haut en courant. Il suivit le sentier qui rejoignait le chemin principal et tourna sur la gauche en direction du lazaret. Il ne croisa pas le train-balade qui amenait habituellement les touristes dans cette partie de la Grosse-Île. Le véhicule bariolé devait s'être arrêté pendant la pause repas.

Après une vingtaine de minutes, Félix parvint enfin au lazaret. Les broussailles entourant la vieille construction avaient été lavées par la pluie, et une forte odeur de terre mouillée flottait dans l'air. Léo n'était pas encore là, à moins qu'il ne fût à l'intérieur du bâtiment. Félix gravit les quelques marches de l'ancien hôpital des picotés pour s'en assurer. Il pénétra dans l'édifice, qu'il traversa jusqu'à la salle rouge. C'est là qu'il vit son frère.

Dans la pénombre inquiétante de la pièce, Léo était assis sur le plancher, adossé contre le mur. Il semblait sonné et se massait la nuque avec soin.

— Qu'est-ce qui se passe, Léo? lui demanda Félix.

— Ça va...

Il avait répondu machinalement, ce qui ne rassura pas son frère.

— Mais qu'est-ce que tu fais assis par terre?

— On... on m'a assommé.

— Quoi?

— Ça va, il n'y a pas de quoi s'affoler, répéta Léo en bougeant les épaules pour se délier les muscles.

—Qu'est-ce qui s'est passé? répéta Félix, paniqué. Raconte!

—Bah...

Félix s'accroupit à côté de Léo, qui poussa un gros soupir et se frotta les cheveux. De la fine poussière s'en échappa, virevoltant dans la lumière tamisée rouge.

—Comme cet édifice est le plus ancien de l'île et le seul qui date de l'année qui nous intéresse, j'ai décidé de l'examiner de près. Dans ce coin-là, les planches de bois sont mal ajustées.

Il désigna un des angles de la salle rouge. Félix connaissait bien l'habitude de son frère de fureter partout. C'était d'ailleurs la raison pour laquelle il avait choisi d'aller lui-même inspecter la chambre de Martine. Il n'avait pas voulu prendre le risque que Léo se mette à fouiller dans les dortoirs en oubliant l'heure.

—Je me suis mis à quatre pattes et j'ai soulevé les lattes, poursuivit Léo. Cela m'a pris du temps. Il n'y avait rien là-dessous. Puis j'ai entendu des pas derrière moi. Je croyais que c'était toi et je ne me suis pas retourné. C'est là que j'ai reçu un coup sur la nuque. J'ai vu des étoiles pendant un moment.

—Ça alors... Veux-tu qu'on prévienne le docteur Pilon?

—Non, ça va. J'aurai sans doute une bosse, ça va être moche... Mais on ne m'a pas frappé trop fort. Et je ne suis pas tombé de haut, j'étais à quatre pattes. Je me demande qui c'était...

—Tu n'as vu personne rôder dans le coin?

— Personne. Lorsque je suis arrivé ici, les touristes venaient de partir.

Félix inspecta les alentours avec soin. Il n'y avait aucun indice témoignant de la présence ou du passage d'un assaillant. En revanche, il y avait des traces de boue partout, laissées par les visiteurs du lazaret. Avant de replacer les lattes, il regarda sous le plancher, mais ne découvrit que le sol froid recouvert de gravier.

Leur enquête bizarre venait de prendre une tout autre tournure. Ne venait-on pas de les attaquer ? Qui avait osé faire cela et qu'est-ce que cela signifiait ?

En proie aux interrogations les plus diverses, Léo et Félix décidèrent de quitter rapidement les lieux. Affamé, Léo paraissait remis de ses émotions et insista pour qu'ils se rendent à la cafétéria.

— C'est complètement débile, répétait Félix tout en marchant. Qui a pu faire une chose pareille ?

— Martine ? Elle avait un parapluie dans son sac, je crois. Elle aurait très bien pu s'en servir pour m'assommer ! Contrairement à ce que je croyais, elle s'est peut-être aperçue que je la suivais !

— Elle aurait voulu te donner une leçon... Ouais, c'est possible... Mais je l'ai vue passer devant le Bloc d'en haut. Elle n'aurait pas eu le temps de te donner un coup sur la nuque et de retourner jusque-là. À moins de courir comme une athlète, sauf qu'elle ne paraissait pas essouf-flée du tout.

— Et toi, comment s'est passée ta mission ? demanda Léo. As-tu trouvé sa chambre ?

Félix raconta son aventure. Il s'arrêta au bord du chemin afin de faire écouter à son frère la lettre enregistrée dans sa boîte vocale.

— Ada Duriot et le docteur Finch ont eu un enfant! s'exclama Léo, stupéfait. Tu parles d'une affaire. On nage en plein téléroman. Crois-tu que ça a un rapport avec la mort du chirurgien?

— Je n'en sais rien. On appellera Emmy tantôt pour lui demander de nous aider. J'ai une idée.

— Donc, Ada aurait été amoureuse du docteur Finch, un homme marié avec qui elle a eu un enfant qu'elle a dû abandonner à la naissance. Puis elle s'est passionnée pour Faubert d'Imbeault, chirurgien et inventeur, marié à Dalhia.

— Le docteur Finch a sans doute tenu à ce que leur aventure reste secrète. D'après ce qu'il écrit dans son journal, il a vraiment eu de la peine lorsque Ada est morte. À moins que ce ne soit un stratagème! Il a peut-être voulu dissimuler le fait qu'il était lui-même impliqué dans cet événement tragique...

— Ça se complique, on dirait. Crois-tu que Martine possède d'autres documents de ce genre?

— Comment le savoir?

— Indirectement, on pourrait lui demand...

— Regarde, l'interrompit Félix.

Il avait chuchoté. Il indiquait d'un doigt discret l'ancienne résidence du médecin bactériologiste, devant laquelle ils passaient justement. Le docteur Pilon était en train de placer une caisse à l'intérieur d'une voiturette électrique. Il sursauta en entendant Léo :

—Bonjour, monsieur Pilon !

Le visage du docteur était rouge, et ses mains, couvertes de brins d'herbe.

—Bonjour, fit-il d'un ton bourru. Comment se porte votre camarade picotée ?

—Elle… elle va bien, merci, bredouilla Félix, qui réalisait qu'ils n'avaient pas appelé Emmy pour prendre de ses nouvelles.

—Tant mieux, dit Henri. J'espère que vous êtes conscients de la chance que vous avez de pouvoir vous promener librement dans ce secteur. Les touristes n'y sont pas autorisés, habituellement.

—Il faut croire qu'on n'en est pas, répliqua Léo d'un ton sec.

Henri marmonna quelque chose que les deux frères ne purent entendre et se dirigea vers l'arrière de sa maison. Félix et Léo s'éloignèrent en silence. Ils reprirent leur conversation à voix basse lorsqu'ils furent à bonne distance de la résidence du médecin. Les yeux noirs de Léo lançaient des éclairs.

—C'est lui qui m'a assommé ! J'en mettrais ma main au feu !

—Oui, mais pourquoi ? demanda Félix, en colère.

—Ce docteur ne supporte pas l'idée qu'on nous ait autorisés à rester ici. Cela le démangeait, il a voulu me donner une leçon. Comme hier soir, quand il nous a traités d'enfants gâtés !

— Tu as raison. Il cherche peut-être à nous faire peur. C'est assez évident que ce type nous déteste !

Ils croisèrent le train-balade qui reprenait ses activités et suivait le chemin principal à la vitesse d'un escargot. En franchissant la porte de la cafétéria, ils saluèrent Martine, qui quittait les lieux presque déserts. La jeune femme leur adressa un signe de tête.

— J'espère qu'elle ne s'apercevra pas que quelqu'un est allé dans sa chambre, murmura Léo après un instant.

— Il n'y a aucune raison pour qu'elle s'en aperçoive, le rassura Félix. J'ai tout remis en place.

— Elle avait l'air plutôt calme, non ? Cela confirmerait que ce n'est pas elle qui m'a assommé, ou alors c'est une sacrée comédienne.

Léo reprit des forces en dévorant deux larges pointes de pizza. Puis son frère et lui poursuivirent leurs recherches. Ils se rendirent au cimetière des Irlandais pour y inspecter de nouveau le monument commémoratif. Hélas, celui-ci ne leur révéla aucun autre secret ! Ils s'arrêtèrent à la boutique du parc pour examiner les ouvrages spécialisés. Aucun livre ne faisait allusion à l'équipe du docteur Finch qui, après tout, avait été un médecin parmi tant d'autres à œuvrer à la Grosse-Île... La responsable du magasin cher-cha une dizaine de minutes dans son ordinateur et leur confirma qu'elle n'avait aucune information concernant Faubert d'Imbeault.

Dépités, les frères prirent la direction des chapelles anglicane et catholique. Perchée sur une butte près du rivage, la première, une jolie structure de bois au toit couleur tomate, était malheureusement fermée aux visiteurs. C'est en pénétrant dans la seconde qu'ils retrouvèrent les guides, Isabelle et Robin. Félix attendit que les touristes eussent quitté les bancs, puis rassura Robin. Le séjour des deux frères à la Grosse-Île se déroulait bien... Puis Félix posa des questions aux guides, mais celles-ci demeurèrent sans réponse. Ni Isabelle ni Robin n'avait eu connaissance de l'existence d'un laboratoire de chimie, et ils étaient incapables de localiser sur une carte la résidence d'un chirurgien inconnu du nom de Faubert d'Imbeault.

Le train poursuivit sa route, ramenant les touristes au point de départ de leur excursion. Quant aux deux frères, ils profitèrent de la quiétude des lieux pour faire une pause. Félix s'assit sur l'une des marches, au pied de la chapelle.

—J'ai peur que notre enquête sur le terrain s'arrête ici, soupira-t-il.

—Oui, dit Léo. Je ne vois pas ce qu'on pourrait faire d'autre... à part retourner jeter un œil sous le lazaret.

—Il y a un point que j'aimerais vérifier, et j'espère qu'Emmy va pouvoir nous aider.

Sur ce, Félix sortit son cellulaire et appela leur amie. La convalescente se portait bien, mais elle s'ennuyait. C'est avec une attention particulière qu'elle écouta les frères lui raconter leurs dernières aventures.

—Vous êtes fous! s'exclama-t-elle. Vous auriez pu vous faire prendre en flagrant délit dans la chambre de

Martine. Et ce sale docteur... Je suis sûre qu'il remettra ça! Faites attention, ce type a l'air dangereux.

— Ne t'inquiète pas, dit Félix. On l'aura bien à l'œil. Alors, acceptes-tu la mission?

— Bien sûr! Je résume: je téléphone à ton grand-père, qui connaît plusieurs sites Internet d'archives et je lui demande de m'expliquer comment je peux trouver des renseignements à propos d'un certain George Finch né en avril 1843. J'espère découvrir de l'info. Soyez prudents!

★★★

De gros nuages noirs obscurcissaient le ciel, annonçant un nouvel orage. Après avoir erré un long moment aux abords de la forêt aussi dense qu'impénétrable, Léo et Félix allèrent manger. La cafétéria ne s'anima pas des conversations et des rires habituels, ce soir-là. Parmi les nombreux absents, le docteur Pilon et Martine Frenette.

— Ils préparent leur départ, avait précisé Jacques comme pour les excuser. Pour la plupart d'entre nous, demain sera la dernière journée complète passée à la Grosse-Île. N'oubliez pas qu'un repas est prévu demain soir pour souligner la fermeture du parc!

Les frères engloutirent leur portion de lasagnes avant de rejoindre le Bloc d'en haut sous une pluie battante. Ils téléphonèrent à leurs grands-parents. Max avait déjà reçu l'appel d'Emmy et lui avait transmis des renseignements à propos des recherches dans les archives. Fourbus après cette journée forte en émotions et ne sachant que faire d'autre, Félix et Léo ne tardèrent pas à se blottir dans la chaleur moelleuse de leur sac de couchage.

Félix soupira en ôtant ses lunettes:

—Si papy et mamie étaient au courant pour toi, s'ils apprenaient que quelqu'un t'a agressé et assommé, ils loueraient tout de suite un hélicoptère pour venir nous chercher!

—Tu es fou, répondit Léo. Pas question qu'ils l'apprennent.

—J'espère qu'il ne nous arrivera rien d'autre.

—En même temps, ce ne serait pas si mal. Ça nous occuperait, car notre enquête ne progresse plus.

—Demain, on devrait peut-être revisiter l'édifice de désinfec...

C'est alors qu'un vacarme infernal retentit. Léo sursauta. La porte de leur dortoir venait d'être brutalement ouverte. La lumière blafarde des néons de leur chambre inonda de nouveau les lieux.

—Je veux savoir ce que vous êtes allés faire dans ma chambre! hurla-t-on.

Ébloui, Félix releva la tête. Il distinguait une silhouette anguleuse plantée au milieu de la pièce. Il mit aussitôt ses lunettes et découvrit Martine, le regard furieux, les mains sur les hanches.

—Qu'êtes-vous allés faire dans ma chambre? répéta-t-elle, hors d'elle. Je ne bougerai pas d'ici tant que l'un d'entre vous ne m'aura pas répondu!

—Mais… je ne comprends pas, bredouilla Félix en regardant Léo, qui fixait l'étudiante, l'air hagard.

—Vraiment? C'est étrange! Hier soir, vous vouliez consulter mes documents et par hasard, aujourd'hui, l'un d'entre eux disparaît.

—Mais… nous ne sommes pas allés dans votre chambre!

Félix avait parlé sans réfléchir. Il n'y comprenait plus rien. Il sentit la chaleur envahir son visage empourpré.

—Alors que je m'apprêtais à sortir manger, tout à l'heure, reprit Martine, je me suis aperçue qu'un document que je plaçais en annexe avait disparu. Je ne comprends pas l'intérêt de voler ça: un témoignage sur les symptômes du choléra.

—Avez-vous bien regardé dans vos affaires? demanda Léo avec une empathie exagérée. Ce document s'est peut-être envolé avec le vent et déplacé jusqu'à…

—Cela fait des heures que je le cherche. Et je n'arrive qu'à une seule conclusion; quelqu'un me l'a subtilisé. C'est vous, n'est-ce pas?

—Bien sûr que non! s'exclama Félix, qui se souvenait avoir remis le document à sa place après en avoir lu le contenu.

—Je finirai bien par découvrir la vérité, lança-t-elle.

Sur ce, la jeune femme tourna les talons et quitta le dortoir en claquant la porte. Ses pas heurtèrent le sol comme de violents coups de fouet, puis s'éloignèrent. Après avoir attendu quelques minutes, Félix alla inspecter le couloir de l'étage afin de s'assurer qu'il était de nouveau désert. Puis il revint s'asseoir sur son lit, les épaules basses.

— Je ne comprends plus rien... Je te jure que cette feuille était dans les affaires de Martine lorsque je suis sorti de sa chambre ! Elle n'a pas pu disparaître comme ça !

— Je te crois, dit Léo qui se mordillait la lèvre inférieure avec nervosité. Ne t'inquiète pas, elle va la retrouver.

— Tu parles d'une histoire. J'aurais dû tout lui avouer.

— Elle va la retrouver, répéta Léo en se recouchant. Elle l'a égarée, il n'y a pas d'autre explication.

Félix éteignit la lumière et retourna dans son lit. Il enfouit sa tête sous l'oreiller pour oublier ses mensonges. La voix furieuse de Martine résonnait encore dans leur dortoir, et les vents déchaînés se pourchassaient dans la baie du Choléra, tels des monstres en colère.

12 . . . . LE MESSAGE

La tempête de la nuit avait chassé du ciel tous les nuages, et les touristes étaient déjà nombreux. Léo et Félix se procurèrent des sandwichs avant de rejoindre le groupe qui allait explorer l'édifice de désinfection une dernière fois. Ils avaient parcouru ces lieux au cours de leur première visite de l'île avec Emmy mais, aujourd'hui, ils suivraient les guides. Alors qu'ils s'apprêtaient à entrer dans l'édifice, Robin leur tendit un papier :

— Salut ! En repensant à vos questions, hier soir, j'ai fouillé dans nos documents de référence et j'ai trouvé quelque chose. C'est la reproduction d'une carte de la Grosse-Île telle qu'elle était en 1847. On y indique la localisation des résidences de médecins. Cela pourrait vous intéresser.

— Super ! lança Léo.

— Merci, c'est génial ! répondit Félix avec entrain.

L'adolescent avait senti ses longues jambes trembler en voyant le guide s'approcher d'eux. Il repensait à leur mésaventure de la veille et craignait que Robin, qui avait la charge de veiller sur eux, en eût été informé par Martine. Fort heureusement, il n'en était rien. Ils renoncèrent à la visite et s'assirent côte à côte sur le muret qui enserrait les quais, afin d'examiner la carte. Saurait-elle leur fournir de nouveaux indices éclairant les événements d'août 1847 et le décès tragique du chirurgien ? Les frères reprirent espoir.

La carte mentionnait effectivement l'emplacement des anciennes résidences des docteurs, mais le nom de ces individus n'y figurait pas. Léo se mit à la déchiffrer en récitant la légende d'une voix monotone.

— Résidence de médecin, résidence de médecin, cuisine, abri-hôpital, abri d'immigrants, résidence des chaloupiers, des officiers subalternes. Comment trouver la maison de Faubert d'Imbeault ?

— Aucun laboratoire de chimie n'est indiqué, remarqua Félix, désappointé.

— Cela ne m'étonne pas. Dans son texte sur les chats, Faubert dit qu'il a installé son labo à l'écart des curieux et qu'il y travaille dans le plus grand secret.

— On devrait quand même essayer de repérer l'emplacement de ces maisons.

— OK.

À la recherche des plus vieux vestiges de l'île, Léo et Félix arpentèrent le chemin principal pendant un bon moment. Ils ne trouvèrent cependant pas une seule pierre de fondation des résidences des médecins de l'époque. Ici, une nouvelle construction avait été édifiée. Là, des arbres avaient poussé. Au mieux, quelque talus herbeux pouvait laisser croire à une ancienne occupation du territoire...

Léo fureta dans tous les coins et arracha quelques broussailles. Il gratta l'herbe sur les buttes, s'attarda au moindre bout de bois et de ferraille qui émergeait du sol. Enquêter sur une époque aussi lointaine se révélait une opération impossible ! Les frères firent une pause près de la Batterie de canons, où ils mangèrent leur casse-croûte. Des cormorans à aigrettes, des pluviers argentés et un héron profitaient du soleil dans la zone marécageuse. La petite allée de pierres que Léo avait mise à nu trois semaines auparavant était déjà parsemée de brindilles et de boue.

Les adolescents s'apprêtaient à quitter les lieux pour continuer leur repérage lorsque la sonnerie du cellulaire de Félix retentit. C'était leur grand-père Max qui leur annonçait que le site ENIGMAE était de nouveau fonctionnel et qu'ils avaient reçu un long message dans leur boîte aux lettres électronique. Max n'avait pas pris le temps de le lire. Félix le remercia en lui expliquant qu'ils tâcheraient de consulter le contenu de leur messagerie le jour même.

Surexcités par la nouvelle, les deux frères se dirigèrent aussitôt vers la boutique du parc. C'était le seul endroit public où ils avaient aperçu un ordinateur qu'ils pourraient utiliser. Lorsqu'ils franchirent enfin la porte du magasin, la femme était en train de ranger des livres dans une boîte.

— Bonjour, madame, dit Félix.

— Bonjour, les garçons ! Vous vous plaisez toujours sur notre île ?

— Oui, merci. Est-ce qu'on pourrait utiliser Internet, s'il vous plaît ?

— Pour quelle raison ? demanda-t-elle sans s'arrêter dans son travail.

— On aurait besoin de consulter nos messages. C'est très urgent. Ça ne prendra pas de temps !

— Pourquoi pas ? Mais pas plus de dix minutes, parce que j'aurai bientôt besoin de mon poste pour faire l'inventaire, d'accord ?

— Promis !

— Merci beaucoup, madame ! ajouta Léo.

Les frères s'installèrent devant l'écran, et Léo tapa l'adresse de leur site. Grâce à un code, ils accédèrent à l'espace des administrateurs. Dans la boîte de réception d'ENIGMAE, un message les attendait. Son objet était « Le journal du docteur Théodèle Vauthier » !

Le cœur battant, les deux adolescents déchiffrèrent ensemble le contenu de ce mystérieux courriel :

Objet : Le journal du docteur Théodèle Vauthier

Message : Bonjour,

Je suis le président de l'Association de généalogie L'Ancestrale et je crois que j'ai en ma possession le document que vous recherchez. Je vous transmets ce texte que j'ai numérisé.

N'hésitez pas à communiquer avec moi à cette adresse, si vous le souhaitez.

Yvon Perret

Léo cliqua aussitôt sur l'icône du petit trombone, et le texte du journal du docteur apparut devant leurs yeux ébahis !

Les frères s'installèrent un peu plus confortablement pour lire ce long texte. Ils se rendirent directement aux dates où il était question de Faubert.

AVRIL 1843

Mon ami Faubert a obtenu le poste qu'il convoitait tant à la Grosse-Île. Il sera l'assistant du docteur Finch. Je le crois décidé à mettre sur pied un laboratoire pour y mener les mystérieuses expériences dont il garde le secret.

SEPTEMBRE 1843

Faubert rencontre de nouvelles difficultés à la Grosse-Île. Dans l'une de ses lettres, il me raconte les remarques désobligeantes qu'il doit endurer. Certains se seraient plaints des cris étranges et des émanations provenant de son laboratoire durant la nuit. Il a rédigé un article présentant ses recherches et il me le transmettra en temps et lieu si les dosages chimiques se révèlent appropriés.

FÉVRIER 1844

Mon ami Faubert refuse toujours de me faire part du produit de son expérimentation à la Grosse-Île. Il prétend que les dosages ne sont pas au point.

AOÛT 1846

Dans l'une de ses lettres, Faubert m'apprend qu'une patiente malade du typhus a finalement succombé à l'expérience consistant à l'endormir avant une chirurgie. Après l'ignoble crime du chat Toffee, qui était l'emblème de son équipe, le décès subit de cette malade a enflammé les esprits à la Grosse-Île. Faubert a été traité d'assassin ! Quelle malchance ! Mon ami m'avoue pourtant qu'il a poursuivi ses expériences durant l'été et complété son article scientifique en y ajoutant le résultat de ses travaux portant sur l'inhalation de vapeurs. J'ai très hâte d'en connaître davantage sur les travaux de cet être tenace que j'admire.

JUILLET 1847

J'ai reçu une étrange missive de mon ami Faubert, dans laquelle il parle d'une lettre d'amour que sa fidèle collaboratrice, Ada Duriot, lui a récemment envoyée. Faubert se défend d'avoir couru après quelque aventure. Je sais qu'il est sincère et je le soutiens de tout mon cœur. Je connais son amour pour la belle Dalhia qu'il adore et dont il est adoré, et j'ai la certitude qu'aucune autre maîtresse que la médecine ne pourra jamais gagner son âme. Je lui ai conseillé d'écrire à cette Ada afin de calmer ses ardeurs.

AOÛT 1847

5 août

J'apprends que mon ami Faubert est passé près d'un effroyable scandale à la Grosse-Île. L'une de ses expériences menées au début de ce mois a tourné au drame. Si ce n'eût été le secret bien gardé concernant les événements, on aurait encore crié à l'assassin! Un malade atteint de la gangrène aurait succombé au cours d'une opération chirurgicale dirigée par mon ami. Découvrant au matin une forte odeur émanant du laboratoire, un infirmier trop curieux aurait trouvé le corps verdâtre du malheureux étendu sur la paillasse; celui-ci avait été asphyxié. Faubert a découvert qu'on s'était joué de lui et que les produits utilisés et savamment dosés pour endormir le malade avant l'opération avaient été remplacés par du poison, précipitant le trépas du malheureux. Faubert n'est point surpris qu'on s'acharne sur lui. Le progrès fait peur, m'a-t-il déclaré. Je crains toutefois que ces âmes perdues, qui ont conçu cet affreux stratagème, s'en prennent directement à lui. Le soutien du docteur Finch et d'Ada Duriot, qui ont réussi à convaincre l'infirmier de taire sa macabre découverte, ne pourra, hélas! rien changer aux élans de haine.

10 août

J'ai reçu une lettre de mon ami Faubert, dans laquelle il m'apprend le décès subit de son épouse, emportée par le choléra le 6 de ce mois.

26 août

Ma peine et ma colère sont aujourd'hui si profondes que je tremble en écrivant ces lignes. Mon camarade de toujours, mon collègue, mon ami sincère, mon frère, Faubert, a été retrouvé mort il y a trois jours à la Grosse-Île. Une lettre du docteur Finch m'a appris l'horrible nouvelle: Faubert aurait été poignardé à mort dans des circonstances obscures. On raconte que, accablé par le chagrin d'avoir perdu Dalhia, il a mis fin à ses jours. Mais comment croire que cet ami si vaillant ait fait un tel geste, lui pour qui *l'ouvrage de la médecine était plus fort que la vie, que la mort, que l'amour? J'aurais tant aimé me rendre à la Grosse-Île, interroger ses proches, ses ennemis et les curieux, pour répondre à cette question qui me hante depuis l'annonce de cette terrible nouvelle : a-t-on assassiné celui qu'on suspectait d'assassiner les malades?*

31 août

Je viens d'apprendre, par le docteur Finch, que la collaboratrice de mon défunt ami Faubert, Ada Duriot, a elle aussi trouvé la mort dans d'étranges circonstances. Son corps a été découvert sur le rivage de la Grosse-Île. Le docteur évoque plusieurs hypothèses dont l'accident, la fatigue et la maladie. Je sais toutefois qu'il est probable que la belle soit morte du chagrin d'avoir perdu Faubert, cet homme dont elle était si follement éprise et qui jamais ne céda à ses avances.

Léo et Félix s'étaient hâtés de lire le journal du docteur Vauthier, mais la responsable de la boutique du parc s'impatientait.

—Avez-vous fini ? leur demanda-t-elle en s'approchant de l'ordinateur.

—Ou... oui, merci beaucoup, bredouilla Félix, encore sous le choc des révélations.

—J'ai besoin de l'ordinateur.

—Bien sûr, dit Léo.

Après avoir remercié l'aimable femme, les frères quittèrent le magasin. Plongés dans leurs réflexions, ils s'assirent en silence sur un talus herbeux qui bordait le chemin. Félix fut le premier à prendre la parole. Ses yeux bleus brillaient d'enthousiasme.

— Je pense que cette histoire de scandale évité peu avant sa mort est un bon indice pour notre enquête. En août 1847, quelqu'un aurait cherché à nuire au chirurgien en empoisonnant un de ses malades pour faire croire qu'il menait des expériences malfaisantes dans son laboratoire. Si Faubert a poursuivi ses travaux malgré tout, quelqu'un a peut-être décidé de s'en prendre directement à lui.

— Comme le dit Théodèle, a-t-on assassiné celui qu'on suspectait d'assassiner les malades ? demanda Léo, aussi fébrile que son frère.

— On a la confirmation que Faubert n'assassinait pas ses malades, non ? Jamais Ada Duriot et son chef d'équipe ne l'auraient soutenu. Et d'après ce qu'on a lu, Faubert et Ada n'auraient jamais eu d'aventure.

— Une autre révélation pour la grand-tante d'Emmy ! Ses cheveux mauves vont virer au vert, comme les cadavres de la salle d'anatomie !

— Ah ! ah ! J'espère qu'elle sera contente de savoir qu'on a retrouvé le journal de son ancêtre, au moins.

— Oui, et c'est grâce à ENIGMAE ! s'exclama Léo, tout joyeux.

Les deux frères tentèrent de joindre leur amie afin de lui transmettre les bonnes nouvelles, mais sa ligne téléphonique était occupée. Ils lui laissèrent un bref message et décidèrent de profiter des dernières heures de clarté pour faire une ultime balade à la Grosse-Île.

13 . . . . LA FUITE

L'hôpital des picotés était déjà fermé à clef. Il le resterait probablement jusqu'à la prochaine saison touristique. Léo et Félix croisèrent Martine, qui prenait des photos. Félix faillit engager la conversation, mais se ravisa. À voir le regard accusateur qu'elle leur lança en passant près d'eux, elle n'avait pas retrouvé son document. Cette histoire était étrange, tout de même. Se pouvait-il qu'une personne le lui ait dérobé ? Avait-on voulu mettre le vol sur le dos des deux frères ? Le docteur Pilon pouvait-il être mêlé à un stratagème de ce genre, aussi stupide que celui qui avait consisté à assommer Léo dans le lazaret ?

Félix et Léo regagnèrent leurs quartiers afin de se préparer pour le souper de l'Action de grâce. Des questions les hantaient. Que savait-on du fameux scandale impliquant Faubert d'Imbeault ? Qu'était-il réellement arrivé à Ada Duriot ? Le fils d'Imbeault, Basile, avait-il eu connaissance de cette affaire ?

Léo finissait de s'habiller, prêt à enduire de gel ses cheveux rebelles. Moins coquet et plus rapide, Félix attendait que son frère soit prêt en contemplant le paysage à travers la fenêtre de leur dortoir. Le soleil avait presque disparu de l'horizon. Le jour laisserait bientôt place à la lune et à son voile d'étoiles au-dessus de la baie du Choléra. Il vit Jeannette et Peter quitter les parterres de la chapelle anglicane et s'affairer, près de la chapelle catholique, à protéger les derniers arbustes des rigueurs de l'hiver. Malgré l'atmosphère lugubre et triste qui se dégageait des lieux, Félix s'était attaché à cet endroit. Demain, les frères seraient déjà loin. Même s'ils n'habitaient qu'à une cinquantaine de kilomètres à vol d'oiseau de la Grosse-Île, Félix avait la sensation qu'un océan les en séparait. La sonnerie de son cellulaire interrompit ses rêveries.

Reconnaissant la voix enjouée d'Emmy, Félix activa la fonction haut-parleur de son cellulaire et expliqua en détail l'histoire du vol de la lettre de Martine ainsi que la découverte du journal de son ancêtre, dont il lui décrivit le contenu.

— C'est génial, dit-elle, interloquée. Ma grand-tante sera tellement heureuse!

— Et toi? lui demanda Léo. As-tu trouvé quelque chose à propos du fils du docteur Finch?

— Oui. C'est d'ailleurs pour cette raison que je vous appelle. J'ai passé les journées d'hier et d'aujourd'hui sur Internet. Ça en a valu la peine.

— Raconte!

— Sur le conseil de votre grand-père, j'ai épluché des tas de journaux en version électronique. Écoutez ça. J'ai réussi à obtenir des renseignements sur ce George Finch pour une simple et bonne raison: c'était un bandit! Un journal de la ville de Québec a publié un article sur lui au moment de sa mort.

— Quoi ? s'étonna Félix. Un bandit ?

— Super ! s'écria Léo.

— Je vous lis l'article, dit Emmy sans attendre. Il est daté du 18 mai 1925 et s'intitule « La bande à Finch ne pourra plus nuire » : *Au petit matin, George Finch, criminel notoire de la ville de Québec, a été tué dans une embuscade. Le vieil homme et ses trois complices ont été pris à partie dans une bagarre avec des matelots dans la basse-ville. Voulant fuir la police en empruntant l'escalier des plaines d'Abraham, Finch est mort sous les balles. Seul l'un de ses complices a pu réchapper de l'embuscade. Orphelin né en avril 1843 à Québec, Finch a été impliqué dans de nombreuses attaques à main armée dans la basse-ville et a mené une vie criminelle active. Cette nuit aura été la dernière de ce vieillard fourbe et violent, qui avait toujours su échapper à la police. Des passants ont aperçu sa jeune veuve éplorée près des marches où l'homme est tombé. Louisa McFarrell, fille de mauvaise vie, tenait un enfant dans ses bras. Cette vision pathétique doit rappeler à chacun que le crime ne paie pas. La police se réjouit de pouvoir rassurer la population en affirmant que, dorénavant, la bande à Finch ne pourra plus nuire.*

Léo et Félix affichaient une moue perplexe qui en disait long. Cet ancien article de journal portant sur George Finch, bien qu'intéressant, ne leur semblait pas apporter d'élément nouveau.

— Ouais... commença Léo, dubitatif.

—Chut! fit soudain Félix en quittant le lit où il s'était assis.

Il se précipita vers la porte de leur dortoir et l'ouvrit aussitôt. Félix aurait juré avoir entendu des bruits suspects.

Il porta son regard le long du passage. Il n'avait pas rêvé! On cavalait dans leur couloir! Tout au fond, dans l'encadrement de la porte, il venait d'apercevoir un pied. Quelqu'un prenait la fuite!

Sans attendre, Félix se lança à la poursuite de l'individu, dont les pas résonnaient dans l'escalier.

—Attendez! cria-t-il de toutes ses forces.

Mais l'individu courait plus vite que lui. Il franchit la porte du Bloc d'en haut avant que Félix parvienne au deuxième étage de l'édifice.

—Attendez! répéta-t-il depuis le hall d'entrée qu'il atteignait enfin.

L'individu ne se retourna pas, poursuivant sa course effrénée. Il disparut dans la nuit. Félix mit un pied dehors, mais ne put avancer davantage. Dans l'action, il n'avait pas eu le temps d'enfiler ses chaussures. Il lui était impossible de courir pieds nus sur le gravier du sentier! L'adolescent revint sur ses pas.

Cette poursuite n'avait pas été vaine car, dans la lumière pâlotte du lampadaire qui trouait l'obscurité, l'homme en fuite s'était fait reconnaître.

—Alors? demanda Léo alors que Félix franchissait la porte du dortoir. Que s'est-il passé? Tu es parti si vite! Au début, j'ai pensé que c'était encore une de tes farces stupides ! J'ai dit à Emmy qu'on la rappellerait.

— J'ai entendu quelqu'un courir dans le couloir, raconta Félix, encore sous le choc. Comme si on nous espionnait... As-tu vu ce que j'ai vu ?

— Je crois bien. En regardant par la fenêtre et en voyant le bonnet, j'ai tout de suite pensé que c'était...

Léo ne put terminer sa phrase, car la sonnerie du cellulaire de Félix retentissait de nouveau. C'était encore Emmy.

— Mais qu'est-ce qui se passe ?

— Excuse-nous, lui répondit Félix en activant le haut-parleur du téléphone. Quelqu'un nous espionnait. Enfin, je le crois ! J'ai essayé de le rattraper, mais il s'est enfui.

— Ah bon ? C'était qui ?

— Jacques, le cuisinier. On l'a reconnu à son bonnet.

— Le cuisinier ? Ça alors... C'est bizarre...

— C'est complètement débile, oui !

— Avez-vous au moins entendu ce que je vous ai dit à propos de l'article sur Finch ?

— Euh, non...

— Je vous demandais si le nom de McFarrell vous rappelait quelque chose.

— Non... fit Léo, encore sous le choc de l'incident. Je ne vois pas.

—Un instant, dit Félix. Il me semble que j'ai déjà entendu ce nom-là.

—Vous ne vous en souvenez pas? demanda Emmy, impatiente. L'autre jour, à la cafétéria, quand Jacques nous a présenté le personnel qui travaille à la Grosse-Île? Je crois que c'est le nom de famille du vieux jardinier aux cheveux blancs qui s'occupe des fleurs et des arbustes.

—Peter McFarrell! C'est vrai, tu as raison!

Le silence envahit le dortoir. Félix et Léo se dévisagèrent, ahuris.

—Donc, poursuivit enfin Félix sur un ton qui trahissait sa nervosité, soyons logiques... S'il est né aux alentours des années 1920, ce bonhomme pourrait bien être l'enfant que cette femme tenait dans ses bras et dont on parle dans l'article, soit le fils de George Finch et le petit-fils du docteur Finch, non?

—Absolument, lâcha Emmy.

—Il y a sûrement plusieurs McFarrell au Québec, nota Léo.

—Pas tant que ça, j'ai vérifié, répondit-elle. Et puis tu ne trouves pas que ça fait beaucoup de coïncidences? Le vol de la feuille de Martine, l'attaque dans le lazaret, ce nom de famille, cet homme qui vous espionnait?

—Qu'est-ce que ça signifie, alors? demanda Léo. C'est quoi, le rapport avec le secret du chirurgien, la disparition de l'infirmière et...

—En écoutant Emmy, j'ai un mauvais pressentiment, le coupa Félix en laçant ses chaussures à la hâte. Je revois le cuisinier courir comme un voleur, lui qui, d'habitude, est plutôt calme. Il paraissait hors de lui. Je crois qu'il n'y a pas une minute à perdre. On doit aller le voir.

— Aller voir Jacques ? répéta Léo, énervé. De toute manière, c'est l'heure d'aller manger.

— Non, voyons ! dit Félix en enfilant son anorak. Je ne parle pas du cuisinier, mais de Peter McFarrell. On doit absolument lui parler, et tout de suite. S'il est bien le petit-fils du docteur Finch, il a des faits à nous révéler au sujet de notre affaire. Jacques et lui sont amis, il saura sûrement nous aider à comprendre ce qui s'est passé. Dépêchons-nous, et tant pis pour le festin ! À plus tard, Emmy, on te rappelle dès qu'on a du nouveau.

14 . . . . L'AFFRONTEMENT

Après avoir constaté que la chambre de Peter McFarrell était vide, Léo et Félix sortirent du Bloc d'en haut à la course et prirent la direction de la chapelle catholique, où Félix l'avait aperçu avec Jeannette pour la dernière fois.

Après avoir suivi le sentier à la seule lueur de la lune, ils atteignirent enfin l'édifice. Hélas, celui-ci était fermé à clef et paraissait désert !

Ils se dirigèrent alors vers l'autre lieu de culte où Félix avait vu Peter à l'ouvrage au cours de la journée : la chapelle anglicane, sur la butte, près du poste de garde.

La construction en bois au toit couleur tomate semblait plongée dans l'obscurité. En s'approchant, on pouvait cependant percevoir une faible lumière qui éclairait l'intérieur du clocher.

Félix fut le premier à gravir la colline. Il allongea ses grandes pattes pour enjamber les silhouettes géométriques des arbustes qui bordaient l'allée et avaient été enveloppés de jute pour résister aux rigueurs de l'hiver.

Puis il colla son oreille à la porte de la chapelle. Léo imita son frère. Une voix qu'ils ne reconnurent pas tonnait entre les murs. Félix décida d'agir sans attendre.

— Monsieur McFarrell ? Jeannette ? cria-t-il en frappant à la porte. Est-ce que vous êtes là ? C'est Léo et Félix. On aimerait bien vous parler !

Mais personne ne lui répondit. Le garçon poussa alors la porte qui grinça, mais s'ouvrit sans difficulté. Sans échanger un seul regard ni un seul mot, Félix et Léo pénétrèrent dans la chapelle.

La voix s'était tue. L'air était glacial. Derrière les rangées de bancs, une multitude de bougies éclairaient le fond de la salle. Tout en longueur, celle-ci était austère et dépouillée. Aucune statue, aucun tableau ne décorait ses murs.

Il fallut plusieurs secondes aux deux frères pour comprendre ce qui se tramait dans la chapelle anglicane. Par instinct, ils se rapprochèrent l'un de l'autre.

Au pied de l'autel sobre et dénudé, baignant dans l'éclat vacillant des chandelles, Peter McFarrell était à genoux, les yeux clos et les mains jointes. Sur son front était appuyé le canon d'un fusil que tenait Jacques, le cuisinier.

Celui-ci dévisagea les garçons qui venaient de pénétrer dans les lieux. Puis il s'adressa à Peter :

— Voici des spectateurs, et ce n'est pas pour me déplaire. Dis ta dernière prière, Peter. Tu n'as plus beaucoup de temps.

—Non, ne faites pas ça! hurla Félix en s'avançant prudemment.

—Ne bouge pas, toi! lui cria Jacques. Tu ne sais rien de cette histoire. Je vous recommande de rester à l'écart et de tenir vos langues, toi et ton frère.

Félix s'immobilisa. Léo se tenait juste derrière lui, effaré.

—Je t'en prie, implora Peter McFarrell dans un sanglot.

—Je ne veux pas t'entendre, lui répondit Jacques.

—M. McFarrell est votre ami... dit timidement Félix sans bouger d'un millimètre.

—Vous ignorez tout de cette histoire, les jeunes, répéta Jacques qui n'était plus lui-même. Alors, la ferme! Si vous saviez... Si vous saviez depuis quand j'attends ce moment! C'est vrai, Peter était mon ami. Mais c'est de l'histoire ancienne. Je sais aujourd'hui que l'amitié n'est pas la raison pour laquelle le destin nous a réunis sur cette île.

—Expliquez-vous, demanda Félix qui avait fait signe à Léo de s'asseoir en même temps que lui sur un banc.

—Je n'ai aucune explication à vous fournir, jeune homme, répondit Jacques d'un ton las.

Seuls les sanglots de Peter rompaient le silence qui avait envahi la chapelle.

—D'accord, Jacques, murmura enfin le vieil homme en levant la tête vers son bourreau pour le regarder droit dans les yeux. Si je dois mourir pour que tu puisses enfin être en paix, je m'y résous. J'y trouverai, moi aussi, la paix de l'âme et de l'esprit.

Surpris par le regard et les propos résignés de sa victime, Jacques tressauta. Il se mit à trembler de tout son corps, relâchant l'étreinte de son fusil.

— Je n'ai pas le choix, répondit-il simplement.

— Expliquez-nous, Jacques... répéta Félix d'une voix peu assurée.

Il tâchait de dissimuler sa panique. Félix ne souhaitait qu'une seule chose : faire parler le cuisinier pour gagner du temps. Quelqu'un finirait bien par s'apercevoir de leur absence et entreprendrait des recherches, du moins l'espérait-il.

— Je dois accomplir une tâche, commença Jacques. Il en va de la réputation de ma famille et de celle de mes ancêtres. D'ailleurs, je peux vous la raconter, cette histoire, puisque vous y tenez tant.

Félix et Léo allaient peut-être enfin savoir ce que cachait cette affaire, qui avait commencé par la lecture de vieilles lettres apportées par Emmy dans leur sous-sol encombré...

— Il y a longtemps, dit Jacques, j'ai prêté serment à mon père de venger la mort de notre ancêtre, un médecin du nom de Faubert d'Imbeault qui travailla ici durant les années de quarantaine. Ce médecin n'était pas un simple chirurgien, mais un inventeur et un grand esprit scientifique.

— Faubert d'Imbeault est votre ancêtre ? fit Léo, qui ne put retenir sa surprise.

Jacques se tourna vers les deux frères, assis à une vingtaine de mètres d'eux. Il les dévisagea d'un drôle d'air, comme s'il avait oublié qu'il n'était pas seul. Léo eut peur.

Jacques reprit son récit :

— Oui. Faubert a eu un fils prénommé Basile. À la mort d'un ami de la famille, Théodèle Vauthier, Basile d'Imbeault a retrouvé un article scientifique inédit et des lettres ayant appartenu à son père, dont une lettre d'amour écrite par son assistante, Ada Duriot. Il a compris que Faubert avait été assassiné et qu'un crime passionnel avait été commis, même si la preuve formelle lui manquait. Des bruits couraient à la Grosse-Île : on racontait que cette Ada avait des remords concernant une mystérieuse affaire et qu'elle avait eu un fils qu'elle avait abandonné à la naissance. Je n'ai jamais pu retrouver la trace de cet enfant jusqu'à ce que je vous rencontre, messieurs Valois !

Léo croisa le regard chaviré de son frère.

Visiblement épuisé, Jacques avait reculé pour s'accoter à un banc. Il parlait sans quitter Peter des yeux, pointant toujours le canon de son fusil dans sa direction.

— C'est grâce à vous, messieurs, que j'ai acquis la certitude qu'Ada Duriot avait eu un fils, reprit-il. Vos échanges avec Martine, l'autre soir, m'ont donné l'idée d'aller fouiller dans ses affaires. Dans une lettre que j'ai dû lui dérober, j'ai découvert qu'Ada Duriot avait eu un enfant avec le docteur Finch, un type du nom de George Finch.

— Vous nous avez espionnés, n'est-ce pas ? demanda Félix.

— Tout à l'heure ? Oui, c'était bien moi. Je n'avais pas l'intention de vous épier. J'étais venu vous prévenir que le repas allait être retardé. J'avais l'esprit ailleurs et ma dinde n'était pas prête... Bref, j'ai écouté votre conversation téléphonique avec votre amie et, quand j'ai entendu le nom de Louisa McFarrell, j'ai tout de suite compris. Cette Ada Duriot, cette meurtrière, avait donc bien un descendant. Et je le connaissais peut-être. Rien ne pouvait plus alors me détourner de mon devoir de vengeance.

Jacques interrompit son récit et poussa un long soupir. Peter McFarrell l'écoutait religieusement, les yeux fermés et les mains jointes et tremblantes.

— Voyez-vous, reprit-il, Basile d'Imbeault est décédé sans pouvoir venger la mort de son père. Dans son testament, il a imposé un devoir de vengeance à son unique fille, Thelma, ma grand-mère. Il voulait également qu'on publie le travail de notre ancêtre chirurgien qui avait mené des expériences secrètes et avant-gardistes dans le domaine médical. Mon père a réussi à faire publier certains de ces travaux, mais on les a qualifiés de loufoques, et le milieu médical de l'époque a pris un malin plaisir à salir la réputation de Faubert, prétextant que ce chirurgien avait assassiné des malades !

— Vous pensez qu'Ada Duriot est l'assassin de Faubert, et que M. McFarrell, qui serait le petit-fils de cette femme, est responsable des actes criminels perpétrés par sa grand-mère ? dit Félix sur un ton brutal.

— Le goût du crime se transmet par le sang, répétait mon arrière-grand-père, déclara Jacques.

— C'est faux, murmura Léo. Et si c'était vrai, vous ne devriez donc pas l'avoir.

— Jacques, reprit Félix, comment pouvez-vous être sûr qu'Ada Duriot a assassiné Faubert, un homme brillant qu'elle respectait et aimait passionnément ?

— Parce que j'en ai maintenant la preuve formelle, mon garçon ! s'écria-t-il avec un rire satanique. Une preuve à laquelle je ne m'attendais pas ! Ce vieux Peter McFarrell vient de me transmettre une lettre qu'il tient de son père. Les aveux sont complets et je n'ai plus aucun doute.

Jacques relâcha le fusil qu'il ne tenait plus que d'une seule main pour fouiller dans la poche de son pantalon, sous son tablier. Il en sortit une enveloppe, qu'il tendit aux deux frères.

Félix se leva avec prudence. De sa démarche dégingandée, il avança entre les rangées de bancs et s'approcha des deux hommes. Il prit l'enveloppe, puis recula lentement pour revenir s'asseoir près de Léo. Il l'ouvrit enfin et découvrit la lettre.

— Lis à voix haute, lui intima Jacques en ressaisissant son fusil. Que ces mots soient les derniers à être entendus par Peter, cette graine d'assassin...

15. . . . . UN COUP DE POIGNARD

LA GROSSE-ÎLE, LE 28 AOÛT 1847

Mon cher fils, mon bien-aimé George,

J'ignore quand tu liras cette lettre, que je te ferai parvenir à l'orphelinat où j'ai dû te laisser, il y a de cela quatre tristes années. Où que tu sois, je veux que tu saches que ta mère pense à toi de tout son cœur et qu'elle ne cessera jamais de t'aimer.

Je ne puis quitter ce monde sans m'adresser à toi, mon cher et unique fils. Je souhaite, par cette lettre, témoigner de ma tendresse à ton égard et implorer ton pardon pour les fautes que j'ai commises. Puissent ces quelques mots te prouver mon amour et t'épargner les doutes et les médisances de ceux et celles qui sont prompts à juger les actes d'autrui sans les connaître.

Tu es né dans l'amour, d'un père travaillant et bon qui, pour des raisons légitimes – il avait une épouse –, n'a pu nous garder auprès de lui. Lorsque tu es venu au monde, j'ai dû poursuivre mon ouvrage d'infirmière et survivre au profond chagrin de te confier aux bons soins d'un orphelinat. Ma modeste pension n'aurait pu suffire à nous faire vivre tous les deux. Tu as une tante, ma sœur Madeleine Duriot, qui vit à Montréal et qui connaît ton existence. Tu pourras te mettre à sa recherche si par malheur tu te trouves dans le besoin.

Voici mon histoire, puisque je dois te confier le lourd secret qui ravage mon cœur.

À la Grosse-Île, j'ai travaillé d'arrache-pied pour soigner tous les braves et les malades venus par l'océan s'établir sur nos terres. J'ai combattu les tempêtes et le péril de la contagion. J'ai traversé de bien mauvaises périodes où la peste, la variole, le choléra et, en cette année critique, le typhus, sont venus frapper à nos portes, apportant la douleur et la mort.

En 1843, l'an de ta naissance, un chirurgien du nom de Faubert d'Imbeault est venu s'installer à la Grosse-Île. Il était l'assistant du chef de notre équipe, le docteur Finch, ton père. Dès le premier jour, j'ai su que Faubert n'était pas un homme comme les autres. Son regard était franc, son front intelligent, sa voix douce et mesurée, son esprit rigoureux.

Peu de temps après son arrivée, Faubert, qui était marié et avait un enfant en bas âge, m'a demandé si je voulais l'assister dans des travaux d'expérimentation médicale qu'il devait garder secrets. J'acquiesçai à sa demande, fière qu'il m'ait choisie pour collaboratrice et comblée par le bonheur de travailler à ses côtés.

Dans le petit laboratoire que Faubert mit en place à l'abri des curieux, nous avons fait ensemble de grandes choses pour la science de la médecine. De savants dosages, dont seuls Faubert et moi connaissions la nature, permettaient d'endormir la souffrance opératoire par l'inhalation de gaz et de liquides. Faubert fit deux découvertes majeures sur l'usage du protoxyde d'azote et de l'éther, grâce auxquelles nous combattîmes avec succès la douleur des malades.

Faubert et moi avons également essuyé des échecs. Dès 1843, on nous fit des remarques désobligeantes en suspectant notre travail. Malgré cela, Faubert décida de garder le secret.

Les odeurs nauséabondes qui se dégageaient de notre laboratoire, et que nous ne pouvions empêcher, firent parler les curieux. Plusieurs de nos patients moururent. Malgré des ratés, on imputa à tort ces décès à nos expériences d'endormissement. Un adorable chat nommé Toffee, auquel notre équipe entière s'était attachée, périt dans des circonstances atroces à l'été 1846. On le retrouva dépourvu de sa peau, pelé comme une pomme et suspendu à un arbre, un mot vengeur accroché à une patte. Peu après, on nous reprocha la mort d'une patiente fort malade du typhus. Même si nos expériences ne furent pas la cause de cette mort accidentelle, on traita Faubert d'assassin.

Cette situation dramatique et injuste à l'endroit de mon proche collaborateur me fit prendre conscience de la vraie nature de mes sentiments pour lui. Avec les semaines et les années, l'admiration et la fierté que je portais à Faubert s'étaient mues en un amour profond et sincère. Au fur et à mesure que les jours passèrent, je sentis la passion me consumer. Je devins convaincue de sa tendresse à mon égard et lui écrivit une lettre enflammée en ce mois de juillet 1847.

Hélas, il n'approuva pas ces confidences!

Quelques jours après, je reçus de lui une lettre brève dans laquelle il se déclarait touché par mes sentiments, mais incapable de les partager. Il me décrivait sans pudeur son amour pour son épouse et son fils, son attachement à la médecine et à la poursuite de ses travaux. Il terminait en me disant que cette correspondance inappropriée ne devait remettre en cause ni notre amitié ni notre collaboration scientifique si chères à son cœur.

Je reçus cette lettre comme un coup de poignard!

Cet homme me repoussait et m'envoyait à la figure sa passion pour son épouse. Il ignorait donc la puissance de mon amour! Ma mission fut alors claire: je devais le convaincre que son destin était lié au mien et révéler à son cœur ce que ses yeux ne pouvaient voir. Je voulais tant qu'il m'aime ou croie m'aimer...

Au début de ce mois, j'imaginai une affreuse machination.

Lors d'une opération chirurgicale menée par Faubert sur un patient atteint de la gangrène, j'ajoutai un poison inodore dans les tubes de gaz destinés à endormir le malade. L'intervention eut lieu et on dut attendre jusqu'au matin pour conclure à son succès. Entre-temps, je payai un ami infirmier pour qu'il pénètre dans le laboratoire et découvre le cadavre de l'homme dont le corps verdâtre et putréfié s'était précipitamment décomposé grâce à mon poison. Il mit tout en place pour faire croire à l'asphyxie. Puis il feignit auprès de Faubert de déclencher un vent de révolte, le traitant d'assassin et de chirurgien maudit!

J'intervins alors et étouffai le scandale naissant en jouant de mon pouvoir auprès de ton père et de l'infirmier qui était mon complice. Grâce à cette comédie que j'orchestrai de main de maître, Faubert fut innocenté. Il allait ainsi pouvoir poursuivre ses travaux. En cet été 1847, et après avoir caché tant d'années son secret, il s'apprêtait à rendre publique sa découverte. Pour ce scandale évité, sa reconnaissance à mon égard fut infinie. Ces quelques jours, je le confesse avec honte, mon cher fils, furent les plus doux et les plus heureux de ma vie.

Mais la chance tourna vite.

La fragile épouse de Faubert fut prise du choléra et en mourut presque aussitôt, le plongeant dans une tristesse sans nom dont je fus bien jalouse.

Jusqu'à ce soir du 22 août, il y a quelques jours à peine.

Je m'apprêtai à quitter le laboratoire, rangeant mes gants et mon tablier de toile dans mon casier. Faubert s'approcha de moi comme il ne l'avait jamais fait auparavant. Mon cœur se mit à palpiter d'émoi. Il désirait discuter du résultat d'une expérience qui le tourmentait. Tout en me parlant, son regard se perdit dans l'exploration de mon casier, où je conservais divers produits. Il demanda à vérifier le contenu de mes flacons. Je refusai. Il m'apprit alors qu'il suspectait un empoisonnement lors du décès du patient gangrené et qu'il me soupçonnait.

Une horrible dispute s'ensuivit. Elle me mit hors de moi et je devins brutale. Je m'emparai de l'ensemble des notes de recherches de l'an 1847, qu'il gardait dans un cahier de cuir, et les brûlai avec fureur dans le poêle à bois. Faubert me jeta à terre et se précipita vers mon casier pour y découvrir la fiole contenant la substance que j'avais utilisée pour provoquer le trépas de son patient. Il me traita de folle, de meurtrière, d'empoisonneuse et d'intrigante, puis il me congédia.

Je ne lui laissai pas le temps de quitter le laboratoire.

Je pris un tabouret et lui assénai un violent coup sur le crâne. Faubert s'écroula, ensanglanté et moribond. Il me supplia en prononçant mon nom, les mains crispées sur le vide. J'écoutai ses gémissements et découvris dans ses yeux larmoyants une pitié fort humiliante. Son corps secoué de spasmes ne devint pour moi plus qu'un amas de chair, de muscles et d'os.

Transformée par cet élan qui me faisait haïr celui qui s'obstinait à refuser mon amour, je pris les ciseaux de chirurgie, ceux-là auxquels il tenait tant, et le poignardai avec rage. Tandis que je découpai cette chair déjà meurtrie, ses yeux se retournèrent comme si un ange les avait emportés. Puis Faubert perdit son souffle pour l'éternité.

Par mes soins, on crut au suicide du chirurgien maudit.

Aujourd'hui, je n'ai plus de raison de vivre. J'ai enterré l'arme de mon crime sous une pierre gravée d'un grand S, comme dans solitude, sur cette île qui m'est si chère et que je me prépare à quitter par les flots.

Mon cher George, je voulais que tu connaisses mon histoire, l'histoire de ta mère qui n'a jamais su être aimée, l'histoire d'une femme passionnée qui a tout espéré et tout perdu.

Avec mille baisers, ta mère qui t'aime et implore ton pard...

16 . . . . LE FUSIL

—Que faites-vous ici? hurla Jacques, interrompant la lecture de Félix.

Ce dernier se retourna. Ils avaient pénétré dans la chapelle anglicane en silence. Amassés devant la petite porte de bois, ils étaient tous là: Sarah, l'épouse de Jacques, Jeannette, Réjean et Sylvain, Martine, le docteur Pilon, les guides et l'ensemble du personnel du parc.

—Lâche ce fusil! ordonna Sarah. Nous sommes ici depuis longtemps et nous avons tout entendu. Cette comédie est grotesque! Lâche ce fusil, mon chéri. Tu sais trop bien ce que je pense de cette histoire de vengeance familiale. C'est le comble du ridicule. Tuer ne te ressemble pas et ne te ressemblera jamais! Pas plus que cela ne ressemble à Peter, ton ami. Et tu le sais. Lâche ce fusil!

—Tu ne fais pas le poids contre nous tous, Jacques, déclara le docteur Pilon de sa voix bourrue.

—Lorsque je t'ai vu quitter la cuisine avec le fusil, j'ai compris qu'il se passait quelque chose d'anormal, reprit

Sarah en s'avançant lentement vers l'autel. J'ai alerté tout le monde, comme tu peux t'en apercevoir. Nous vous avons cherché partout! On a fouillé le Bloc d'en haut et rouvert l'édifice de désinfection. Puis Jeannette est venue nous rejoindre. Elle nous a dit que Peter désirait se recueillir avant le repas et que vous étiez peut-être ensemble. C'est ainsi que nous vous avons trouvés... Lâche ce fusil, maintenant. On ne reculera devant rien pour te désarmer et te raisonner. Lorsque j'ai affiché ce portrait d'Ada près de l'ambulance, il y a plusieurs années, je croyais que cela t'aiderait à sentir que cette vengeance n'était pas la tienne. Ça n'a servi à rien! Peter n'est pas responsable des actes commis par sa grand-mère. Se convaincre du contraire serait une aberration!

Jacques fixait les cheveux blancs en broussaille de Peter, dont il percevait les sanglots étouffés. Il poussa un soupir et resserra l'étreinte sur son fusil, par réflexe. Son esprit s'embrouillait.

Peter McFarrell releva la tête et regarda son ami droit dans les yeux.

— Tu sais, lui dit-il enfin d'une voix chancelante, je suis plutôt soulagé d'avoir pu te remettre cette lettre de ma grand-mère Ada. Tu ignores à quel point je souffre de connaître cette vérité sur ma famille. Ma mère m'a raconté que mon père, ce bandit, brandissait cette lettre d'aveu telle une médaille. La preuve irréfutable que son fils serait comme lui, doué pour le crime grâce au sang qui coulait dans ses veines! Il a laissé cette lettre à ma mère, Louisa, avec ordre de me la transmettre en héritage. Elle me hante depuis ma tendre enfance... Il n'y a pas un de mes pas qui n'ait été guidé par le désir de réparer ce crime que je sais être un acte irréparable... J'ai été prêtre durant de longues années, j'ai mené une existence honnête consacrée au soin des pauvres. Toute ma vie, j'ai cherché à exorciser ces démons intérieurs qui ne sont pas les miens et à sortir de mes veines cette souillure qui me vient du passé. J'aimerais tant que...

—Tais-toi! lui ordonna Jacques.

—Non, je ne me tairai pas! Je ne veux plus me taire! Cela fait des années que je viens à la Grosse-Île, prétextant offrir mes services pour l'entretien des arbres et des jardins. J'ai passé des heures à chercher l'arme du crime dont parle ma grand-mère dans sa lettre. Mon père était un bandit, et ma mère, une prostituée... Mon seul héritage est cette affreuse lettre! Si j'avais su que tu cherchais le fils de George Finch, Jacques, si j'avais su que tu me cherchais, je me serais montré à toi. Tu aurais pu me tuer bien avant et nous offrir cette paix que nous recherchons tous deux depuis toujours.

—Ça suffit! hurla Jacques, qui appuya sur la détente de son fusil.

Il avait tiré en l'air. La balle du fusil alla se loger dans la coupole du clocher. Jacques lâcha son arme et s'écroula sur un banc de la chapelle, en pleurs.

—Toutes... toutes ces années durant lesquelles j'ai voulu savoir, balbutia-t-il entre deux sanglots. J'ai lutté comme un forcené pour détruire cette haine, pour m'ôter des griffes de ce prédateur qu'est la vengeance.

Sous l'effet brutal du coup de fusil, Peter McFarrell s'était affaissé au pied de l'autel. Jacques s'en aperçut et se précipita pour relever son vieil ami.

— Peter, mon ami, murmura-t-il en le prenant dans ses bras. Pardonne-moi. Je t'en conjure.

— Oui, Jacques... bredouilla le vieillard, encore sous le choc.

— Ce serment fait à mon père, cette lettre de ta grand-mère Ada... Tout cela est insensé !

— Je le sais...

— Je te prie d'accepter mes excuses, je t'en supplie du fond du cœur.

— Nous nous sommes déjà pardonné, déclara Peter en embrassant Jacques. Nos familles nous ont légué de bien tristes héritages.

Il lissa grossièrement ses cheveux avec ses doigts et accepta le petit torchon en coton blanc que son ami lui tendait pour essuyer ses larmes. Il se retourna et regarda l'assistance émue et silencieuse.

— Léo, dit-il. Es-tu ici ?

L'adolescent tressaillit. Stupéfait, Félix dévisagea son frère. Qu'avait-il fait ? Lui avait-il caché quelque chose ? Léo haussa les épaules sans comprendre. Il se leva lentement du banc sur lequel il était demeuré assis. Tous les yeux étaient braqués sur lui.

— Oui, répondit-il d'une petite voix anxieuse.

— Léo, mon garçon, commença Peter. Je m'en veux terriblement. Hier matin, je croyais que tu avais trouvé l'arme du crime d'Ada sous les planches du lazaret ; c'est moi qui t'ai...

— Ne vous inquiétez pas, le coupa Léo avec tact. Il n'y a pas eu de mal.

Un murmure parcourut l'assistance. Personne ne parut comprendre le sens des paroles qu'ils venaient d'échanger. Et c'était bien ainsi. Peter McFarrell fit à Léo un sourire plein de gratitude.

Sarah s'approcha des deux hommes pour les enlacer avec douceur. De grosses larmes coulaient sur ses joues maigres.

— Le destin vous a bel et bien réunis sur cette île pour que vous soyez de grands amis, leur dit-elle.

Après l'émotion suscitée par l'affrontement des deux hommes et le coup de feu tiré en l'air, l'assemblée disparate manifestait maintenant sa bonne humeur. Les rires se mêlaient aux pleurs de joie et aux soupirs. Bien heureux d'avoir évité le pire, chacun vint embrasser les deux protagonistes.

Léo et Félix demeurèrent un moment ébranlés par les événements qui venaient de se produire. Ils s'étaient rassis en silence sur un banc de la chapelle et observaient ces hommes et ces femmes qui témoignaient leur gaieté et leur soulagement. Ces gens se rendaient-ils compte qu'un meurtre avait failli être commis ? Que serait-il arrivé si Jacques n'avait pas retrouvé la raison ? Personne ne semblait plus s'en soucier.

Les frères se levèrent enfin et profitèrent de la cohue pour s'approcher de Martine.

—On a la copie de plusieurs documents inédits, dont l'article scientifique de Faubert, lui dit Félix. On vous les donnera, si vous le voulez.

—Avec grand plaisir, répondit-elle dans un sourire. Merci, c'est très gentil. J'espère que vous ne m'en voulez pas trop pour l'autre soir. J'ai mauvais caractère. Je n'aime pas le plein air et ce séjour m'a paru interminable ! Avec le vol de cette lettre, en plus...

—Justement, on doit vous avouer quelque chose à ce propos. J'ai consulté cette lettre avant qu'on ne vous la vole et...

—Bah ! cela n'a plus d'importance ! Ce n'est pas vous qui me l'avez prise et je vous ai accusé à tort. Je vous dois des excuses.

—Ne parlons plus de cette histoire, alors ! s'exclama Léo en donnant un coup de coude discret à son frère.

—Il reste tout de même deux questions mystérieuses dans cette affaire, ajouta Félix.

—Deux ? s'étonna Léo.

—Oui. Premièrement, on ignore la découverte que Faubert s'apprêtait à rendre publique la veille de sa mort et dont Ada Duriot parle dans sa lettre. Est-ce qu'il s'agissait d'un nouveau procédé d'anesthésie ? Deuxièmement, on n'a pas l'arme du crime, les ciseaux de chirurgie.

—Il sera bien impossible de connaître la nature des derniers travaux de ce chirurgien, déclara Martine avec une grimace. Rappelez-vous que, dans ses aveux, Ada affirme qu'elle a brûlé toutes ses notes de recherche de l'année 1847. Qui sait si le meurtre de cet homme aura influencé le cours de la médecine?

—Et l'arme du crime? demanda Félix.

Intriguée par leur conversation, Sarah s'était approchée d'eux.

—Savez-vous qu'il pourrait s'agir d'un ancien instrument chirurgical? leur dit-elle. Il y a quelques années, Jacques a retrouvé l'inventaire d'un collectionneur de Québec. Dans ce vieux document des années 1800, l'homme reconnaît avoir fait don à Faubert, en reconnaissance de soins médicaux, de ciseaux de chirurgie en argent et en ivoire blanc, datant du XVIIe siècle.

—Eh! lança Félix. C'est génial!

—Qui sait si ce n'est pas ceux-là qu'Ada Duriot a enterrés sous sa fameuse pierre gravée d'un grand S? demanda Sarah.

—J'y pense depuis tantôt! dit Léo avec fébrilité. Tu te souviens, Félix, de la première fois qu'on est venus ici? J'ai arraché des herbes près du rivage, à côté de la Batterie de canons?

—Oui, mais je ne vois pas le rapport, répondit son frère. Tu n'as pas arrêté de fouiner partout et de gratter la terre!

—J'ai trouvé une allée de pierres grises, que j'ai nettoyée. Je me rappelle très bien qu'il y en avait une, plus brune, qui avait quelque chose d'incrusté à sa surface, comme une racine d'arbre. Quelque chose en forme de S. Il faudrait y retourner! C'est possible que ce ne soit pas une racine, mais une inscription qui s'est remplie de terre et de détritus avec le temps...

— Mon Dieu, murmura Sarah, bouleversée. Tu aurais trouv...

— Et cette dinde rôtie ? cria Jeannette, dont la voix forte résonna dans la chapelle.

Toutes les discussions s'interrompirent. Les visages se tournèrent vers Jacques et Peter. Assis côte à côte, les deux hommes séchaient leurs larmes en silence.

— Que dirais-tu d'aller manger un morceau pour célébrer l'amitié et cette fichue Action de grâce ? proposa Jacques à son ami.

— Volontiers.

— Cette année, pour accompagner la dinde, j'ai préparé une farce à la sauge avec l'aide de notre bon docteur. Les fines herbes qu'il fait pousser à l'abri des touristes sont délicieuses.

— Je m'en régale à l'avance, dit Peter dans un sourire.

— D'où vient ce chat ? murmura Martine alors qu'un petit félin au pelage blond pénétrait dans la chapelle.

Intriguée par cette assemblée nocturne, la jolie bête traversa la pièce jusqu'à l'autel. Elle s'approcha des premiers bancs et alla se coller contre les jambes de Peter et de Jacques demeurés assis.

— Si Emmy était là, elle dirait que ce matou est le descendant de Toffee le chat qui rit, murmura Léo à l'oreille de son frère.

— Et qu'il est venu remercier les descendants de ceux qui ont, ensemble, soigné son ancêtre ! conclut Félix, amusé.

• ÉPILOGUE

La dernière soirée que Léo et Félix passèrent avec leurs amis à la Grosse-Île fut mémorable. Ils dansèrent, chantèrent et mangèrent goulûment.

Léo parla de la pierre avec un grand S, et tous firent une expédition vers la Batterie de canons. Ils dégagèrent les roches et creusèrent le sol. À près d'un mètre sous terre, ils trouvèrent un petit coffre de métal qu'ils ouvrirent à la lueur des torches. Enroulés dans un morceau d'étoffe soyeuse, les ciseaux d'argent et d'ivoire brillaient d'un éclat sans pareil. On se passa l'instrument afin que chacun puisse observer et admirer cette pièce, qui avait été à la fois un outil de chirurgien et l'arme d'un crime terrifiant.

Puis, sur ordre de Peter et de Jacques, on jeta le vieil objet dans l'eau du fleuve Saint-Laurent, au plus profond de son lit, au plus vif de son courant, afin d'engloutir à jamais la douleur, la haine et la vengeance qui avaient tant d'années sommeillé dans le cœur de ces êtres.

• NOTE

Ce roman est une fiction. Toute ressemblance avec des personnages réels ou ayant existé est une pure coïncidence. Située au nord-est de la ville de Québec, sur le fleuve Saint-Laurent, la Grosse-Île est aujourd'hui un lieu historique national. Celui-ci commémore l'importance de l'immigration au Canada et à Québec, les événements tragiques vécus par les immigrants irlandais lors de l'épidémie de typhus de 1847 et le rôle de la Grosse-Île comme station de quarantaine de 1832 à 1937. L'hôpital des picotés – le lazaret – est bel et bien le seul bâtiment de l'île encore debout et datant de 1847.

· · · · · · · · · · · · · · · **PROCHAINE ÉNIGME**

À l'occasion d'un échange scolaire, Félix et Léo Valois sont accueillis en France, dans la famille de Julien. Dans cette région du Jura proche de la Suisse, les montagnes regorgent de mystères. Au cours d'une randonnée, ils trouvent dans une vieille grange abandonnée une planche portant un message datant du XVIe siècle. Qui est donc le « brusleur » ? Et qui est Adelyne ? De fausses pistes en découvertes, les frères Valois entreprennent des recherches qui les mèneront au Moyen-Âge, sur les traces des procès de sorcellerie.

Achevé d'imprimer
en septembre deux mille dix, sur les presses
de l'imprimerie Gauvin, Gatineau, Québec